KB103004

작은 뜰을 거니는

정원 여행자를 위한 안내서

프레드 베르나르 지음 · 배유선 옮김

앞부분에 나오는 2, 3월은 진도가 좀 빨라요. 한 쪽에서 두 달을 훌쩍 뛰어넘을 거예요!

일기처럼 자유롭게 끄적이던 터라 책으로 출간하게 될 줄 몰랐거든요.

처음 터를 잡던 1999년, 높은 담벼락에 둘러싸인 작은 땅에는 가시덤불과 쐐기풀이 무성했다. 이곳은 프랑스에서 가장 북쪽에 위치한 부르고뉴의 어느 마을로, 누에 사육지였던 18세기 양잠점에서 19세기 마구간으로 이어진 곳이었다. 1923년생이신 우리 할아버지의 기억으로는 1930년대에는 어느 노부인의 집이었다고 한다.

형과 함께 이 700㎡짜리 땅을 정리하면서 우리는 배나무, 호랑버들, 대나무, 개암나무, 딱총나무 같은 몇 그루의 나무들만 남겨 두었다. 하지만 그 뒤에 생각지도 못한 새로운 식물을 발견하곤 했다. 땅에 묻혀 있다 이듬해 봄에 머리를 내민 흰백합, 원추리, 작약, 붓꽃 등이었다. 꺾꽂이로 군데군데 새 화초를 심고 구근과 씨앗, 새순을 모았다. 물론 꽃집에서 새로 골라 심은 아이들도 있었다. 그리하여 작은 정글이 탄생했고, 2000년에는 그토록 바라던 은행나무를 심어 집 주위를 둘러싼 산책로에 양달과 응달이 적절히 어우러지게 했다. 그 모습을 보노라면 아직도 머나먼 여행지가 떠오른다. 어떤 이에게는 '노는 땅' 혹은 '난장판'으로 보일지 모르지만 내게 있어 이곳은 나이든 기녀와 사랑에 빠져 속세로 나온 어느 수도승의 정원처럼 자유롭고 낭만적이었다.

처음 계획은 일년 살이였다. 그러나 앞일은 알 수 없는 법. 이 집은 어느덧 십오 년째 나의 별장이 되어 주고 있다.

여기서 피고 지며 푸르른 생기를 불어넣는 모든 것을 그림으로 옮겨 보자고 생각한 지도 꽤 오래되었지만, 그동안 나는 이런 저런 꽃이 몇 월 며칠에 피는지 어떤 곤충과 새들이 놀러 오는지 잘 모른 채 그저 가끔 끄적거리는 데에 만족하며 살았다. 그러다 문득, 그 수가 내 이길 적보다 훨씬 줄이든 깃을 깨빌있나.

'모든 동물은 나름의 삶과 아름다움을 구현한다'고 아리스토텔레스는 말했다. 그러니 크든 작든 어떤 동물이 이 땅에서 사라진다면 그 고유한 삶과 아름다움도 함께 사라지는 셈이다. 식물도 마찬가지다.

삼 년 전, 아내 카롤린과 아들 멜빌을 데리고 일 년만 살아 보자고 이곳을 찾았을 때, 나는 그림책 출간을 앞두고 있었다. 그리고 그제야 비로소 오랜 숙제에 손 댈 마음을 먹게 되었다. 하루하루 바쁘게 돌아가는 작은 생태계의 꿈틀대는 생명력을 그림으로 남기기로 한 것이다. 눈을 크게 뜨고 관찰하는 사람에게만 보이는 소박한 아름다움을 말이다.

여행 일지와도 같은 이 일기를 기록하게 된 것은 단순히 나와 가족과 친구들의 즐거움을 위해서였다. 그런데 작은 정원에 처음 발을 들인 지 근 이십 년이 되는 때에 이 그림들이 책으로 만들어지게 된 것은, 이십오 년 가까이 내 그림책을 편집해 주고 매력을 알아봐 준 바리옹 사블롱스키와 뒤세트 사비에 넉분이다. 누 사람에게 진심 어린 고마움을 전한다.

2019년 10월 29일
프레드 베르나르

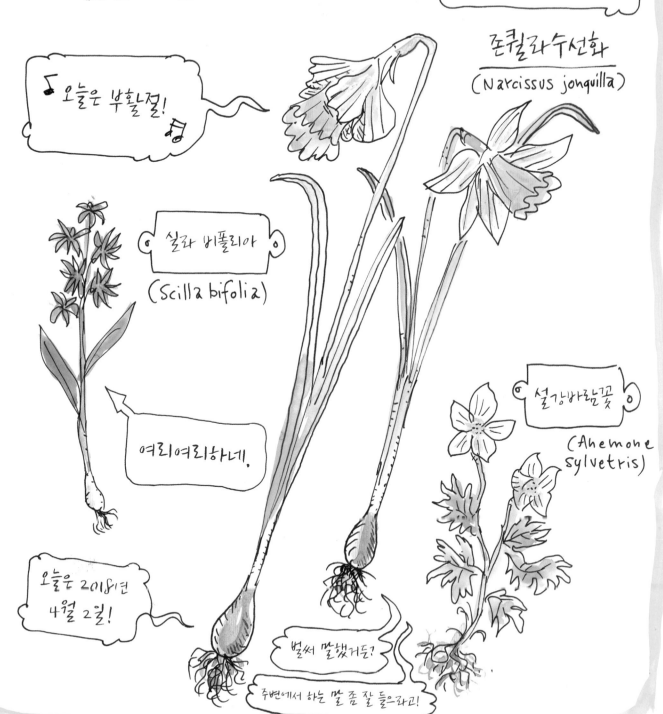

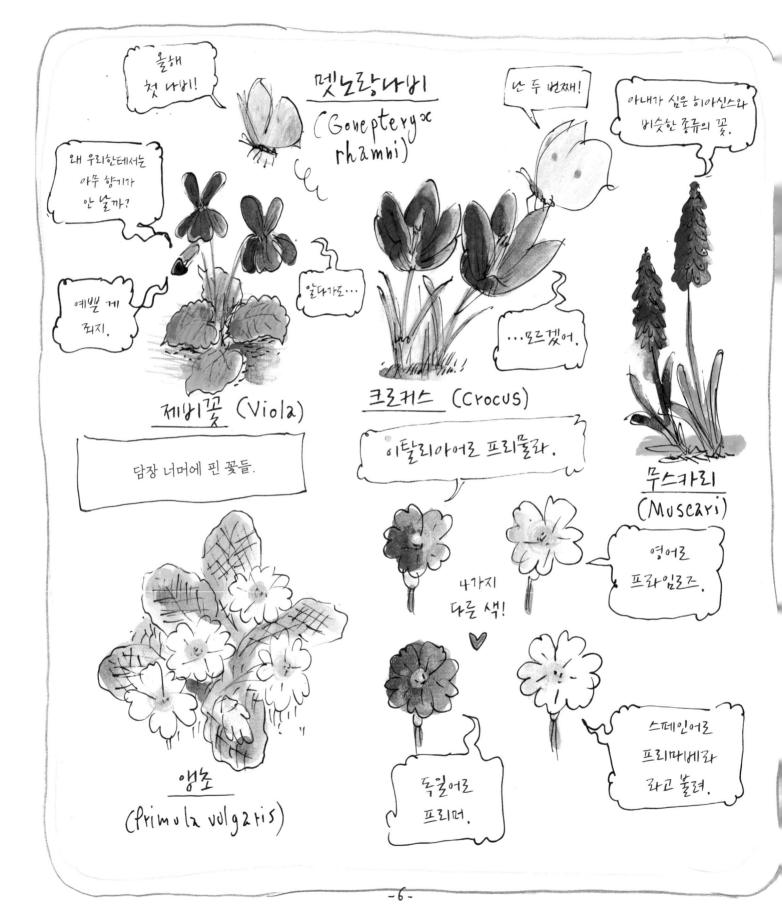

2018년 4월 18일 수요일

4월 들어 줄곧 흐리더니 드디어 따스한 바람과 햇살이 찾아왔다. 기온은 무려 27도!
어제는 등나무 열매 꼬투리가 벌어지며 콩처럼 생긴 열매가 사방팔방으로 튀었다.
여기서 튀고 저기서 떨어지고 그 자리에서 뒤집어지며 톡, 토독, 토도독….
아들 멜빌과 함께 잘 마른 꼬투리만 한 바구니를 모았다. 불쏘시개로 써야지.

딱총 장전 완료!

너무 뜨거워서
거짓말 조금 보태면
연기도 나겠어요.

작년에 심었던 식물들을 옮겨 심었다. 땅은 경이롭도록 뜨거웠다.
겉흙까지도. 이렇게 한여름의 뜨거움을 간직한 땅이라면
새순도 눈에 띄게 쑥쑥 자라겠다.

한편 이곳은···
느릿느릿···

올해는 한 미모
하겠는 걸?

네덜란드
튤립

내 딸이!

거기 전망은
어때?

천남성과의 야생화예요!

아름 이탈리쿰

(Avum
Italicum)

최고야!

고비가 여유롭게 기지개를 켠다.
고사리와 비슷하지만 조금 다르다.

노린재야,
뭐하니?

노린재
(apterus)
정원을 안방처럼
누비는 유일한 곤충.

멜빌이 나늘 잡았다 풀어줬어요.

앵초와 무스카리, 개나리는 어느덧 지고 있다. 작약과 붓꽃이 조금 이른 채비를 마치고 그 뒤를 잇는다.
아내 카롤린의 말에 따르면 포도나무도 꽃눈이 터지고 눈에 띄게 굵어졌다고 한다.
꽃샘추위만 잘 넘기기를···!

건강한 정원이라면
민들레와 산파두꺼비는
필수다.

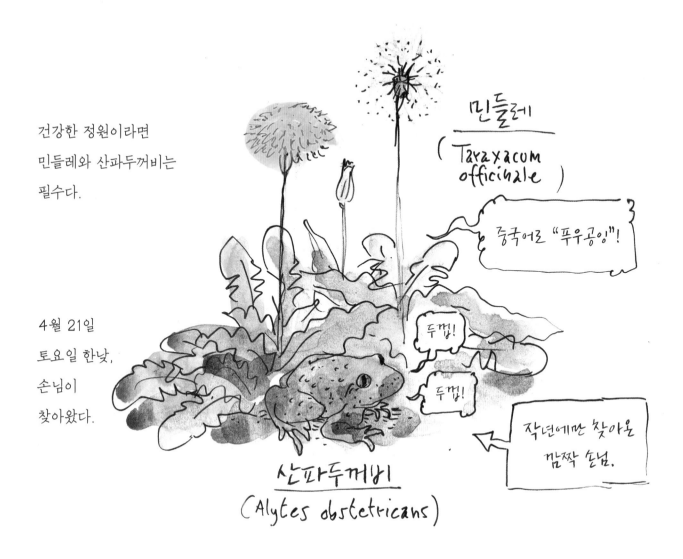

민들레
(Taraxacum
officinale)

중국어로 "푸우공잉"!

두껍!

두껍!

산파두꺼비
(Alytes obstetricans)

작년에만 찾아온
깜짝 손님.

4월 21일
토요일 한낮,
손님이
찾아왔다.

프랑스어로 4월은 '아브릴(avril)'. '열리다'라는 뜻의 라틴어 '아페리레(aperire)'에서 왔다.
정말로 4월이면 모든 게 열린다. 꽃눈도, 창문도, 마음도….
로마인들의 4월은 '아프릴리스(aprilis)'였다.
1564년까지만 해도 한 해의 시작은 4월이었단다. 모든 것이 5월에 소생했기 때문이다.
그러다 샤를 9세 때 와서야 1월이 첫 달이 되었다고 한다.

오늘 밤 수풀 속에서 마법처럼 피어난
제비꽃이야. 알아볼 수 있겠니?
가만히 들여다보렴.
너도 나처럼 감탄하게 될 걸?
올봄에는 유난히 푸르지? 거의 보랏빛이야.
짓궂은 장난일랑 그만두고 가까이
코를 대 보렴. 변덕스러운 제비꽃의
변함없는 향기란! 세월을 잊게 만드는
사랑의 묘약이지. 네 눈앞에도 어린 시절의
봄날이 펼쳐질 거야. 내게 그랬듯이...

〈포도원의 덩굴손(Les vrilles de la vigne)〉, 1908

콜레트 Colette (1873-1954)

(본명: 시도니 가브리엘 콜레트, 부르고뉴 출신 작가)

콜레트는 욘에서 자랐다. 어머니는 그녀에게 자연을 관찰하는 법을 알려 주었고
그녀는 정원을 사람처럼 대하게 되었다(적어도 내가 보기에는…).
공쿠르 아카데미의 두 번째 여성 회원이자 프랑스 국장을 치른 두 번째 여성!
그녀는 펜과 강인한 성품과 자신의 자유로움을 가위 삼아 낡은 사상의 가지를 쳐 나갔다.

브라보, 콜레트!

"우리 고양이 밀라는 어디 있을까?"

"아, 이 사랑의 봄은 사월의 변덕스런 영광을 닮았구나.

금세 피어오른 구름이 찬란히 떠오른 태양을 덮어 버리는구나." -윌리엄 셰익스피어 *William Shakespeare*

모두들 단풍나무와 사랑에 빠졌다.

일본단풍이라 불리는 '데쇼조' 다.

선홍색 새순이 연둣빛으로 서서히 변하다가

가을이면 다시 붉어진 뒤 떨어져 낙엽이 된다.

단풍나무 '데쇼조'
(Acer Palmatum Deshojo)

왜 섰어?

파란 불로 바뀌어야 가지.

단풍나무 친구들이 궁금하다면 191쪽과 205쪽을 보세요.

금낭화
(Dicentra spectabilis)

또는 '금낭근'이나

'며느리주머니'라고 불려요.

독성 주의!

조심하세요!

시베리아 남부, 동아시아의
한국이나 일본에서 왔다.

할아버지가 꼬꼬마시절이던 1930년대에는
이곳에 노부인이 사셨다고 한다. 숲에 핀 들꽃을 여기로
옮겨 심은 것도 그분이라고. 마르타곤나리처럼 낯선 이름의
야생화와 나도산마늘이라는 야생 마늘도 그중 하나다.
나는 그 바통을 이어받아 설강바람꽃을 심었다.

설강바람꽃
(Anemone sylvestris)

클라부아이옹 출신

ἄνοιξη (그리스어로 '봄')

⭐ 지옥의 신 하데스는 제우스와 데메테르의 딸, 페르세포네를 납치한다. 페르세포네에게 지하 세계란
그야말로 지옥이었고 두 번 다시 딸을 볼 수 없게 된 데메테르에게도 삶이 지옥 같았다.
제우스는 딸을 돌려달라고 하데스에게 부탁하지만 하데스가 그 말을 들을 리 만무했으니.
풍요의 여신 데메테르가 실의에 빠지자 인간들에게 흉년이 닥친다. 어떻게든 해결이 필요한 상황….
결국 하데스는 페르세포네를 일 년 중 절반만 지옥에 데리고 있기로 한다.
그리하여 겨울이 탄생했다. 페르세포네가 지상으로 돌아오면 그제야 땅에는 봄이 찾아온다.
기쁨에 찬 데메테르가 딸이 머무는 가을까지 풍요를 허락하기 때문이라는… 그런 이야기!

할아버지 말씀으로는, 이 정원에는 돌을 둘러 만든 작은 못이 있었고 그 속에 빨간 금붕어가 살았다고 한다.

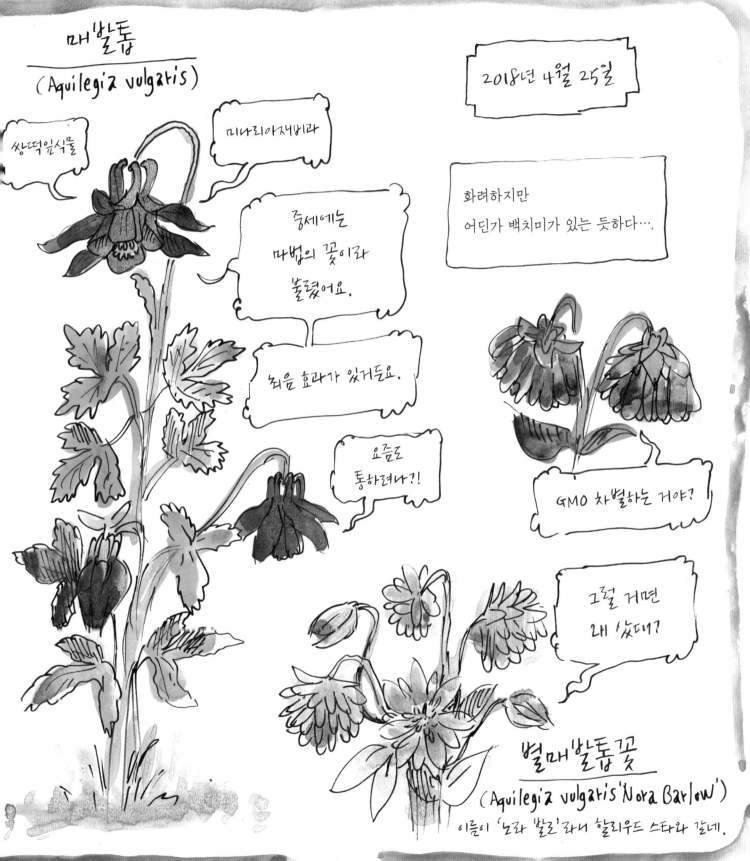

서양매발톱꽃
(Aquilegia Mc Kana)

누렁꼬리뒤영벌 (Bombus terrestris)은 땅 속에 집을 짓는다. 개체 수는 많지 않아도 꾸준히 눈에 띈다.

쏙쏙, 이끼 낀 돌길을 비질해 두었다. 벚꽃이 가득한 분홍 카펫 위로 사뿐사뿐 밀라가 걸어온다.

야생화들 "멋대로 피는 게 매력이지."

무너지고 흉해 보이는 곳은 내가 덮어 줄게!

어리호박벌
(Xylocopa)

애기똥풀
(Chelidonium majus)

이이이잉~

화분 매개자지.

유럽산뒤영벌
(Bombus pratorum)

나는 음향 담당!

엄청 크다.

나도 꽃가루를 날라.

붉은꼬리호박벌
(Bombus lapidarius)
돌담 속에 집을 짓는다.

진뒤영벌
(Bombus pascuorum)

짜, 짜, 랜드!

파란색은 좀 튀지 않아?

숙근수레국화 산속에 피는 여러해살이 수레국화
(Centaurea montana)

샐러드용!

제라늄 리베르티아눔
(geranium Robertianum)

이파리가
은방울꽃과
닮았어요.
가끔
나무 밑에서
자라는
것도 비슷하죠.

그래도 금방
구분하실 거예요.

(없어서 못 파는 식료품)

(Allium ursinum)

나도산마늘
수백 송이 발견.
그냥 뒤로 미친 듯이
번식한다.

아가를
위해 잘
챙겨둬야지.

엄마 뱃속의 아기를
키워준다는 속설이 있다.

영어 이름은 '역겨운 밥 아저씨'.
향이 매우 고약하다! 스치기만 해도
악취가 진동해서 마녀들이 집 앞에 심어
아무도 얼씬대지 못하게 했다는 설이 있다.

야생 제라늄
(Geranium palustre)

이 정원, 정신없는 게 안전
내 스타일이야!

-23-

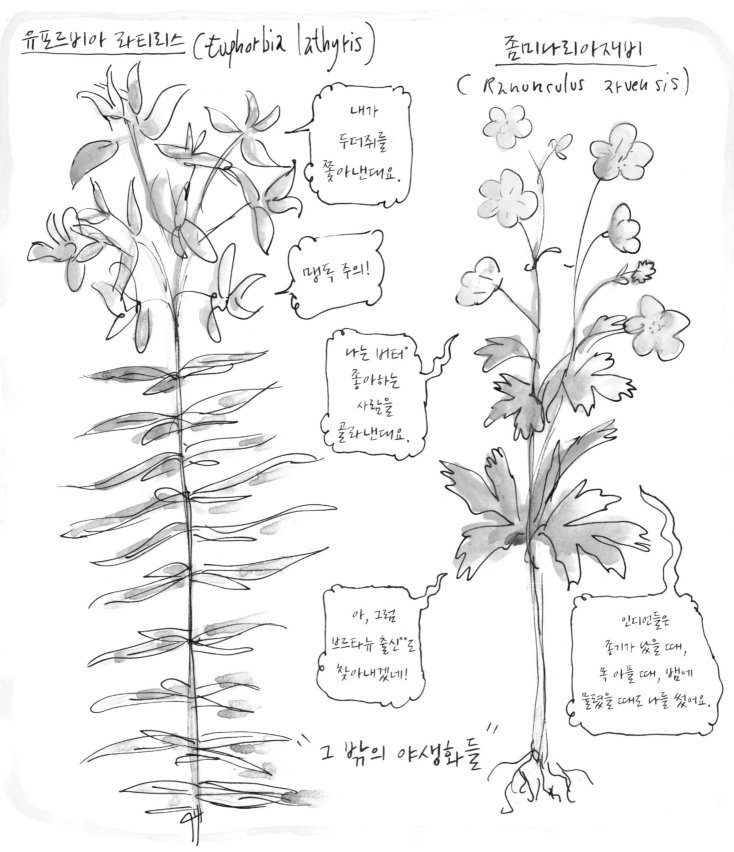

*서양에서는 좀미나리아재비를 턱 아래 대었을 때 노란 반사광이 비치면 버터를 좋아하는 사람이라는
 속설이 있다. 과학적으로는 꽃잎 세포의 독특한 구조 때문이라고 밝혀졌다. -옮긴이

**저자가 살고 있는 브르타뉴 지방은 버터가 특산품이다. -옮긴이

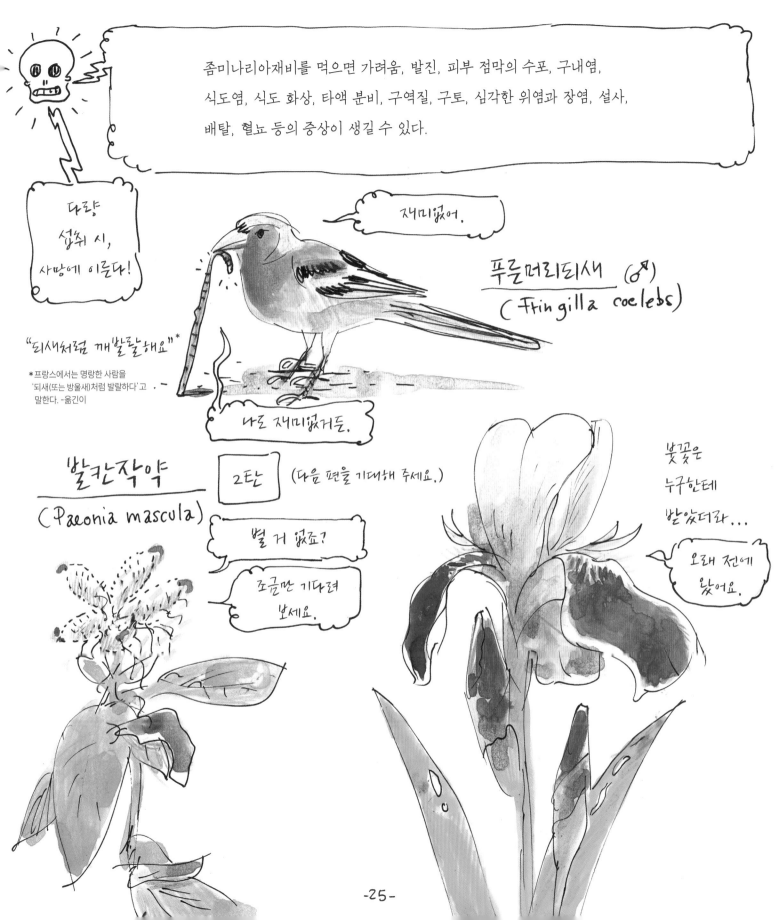

좀미나리아재비를 먹으면 가려움, 발진, 피부 점막의 수포, 구내염, 식도염, 식도 화상, 타액 분비, 구역질, 구토, 심각한 위염과 장염, 설사, 배탈, 혈뇨 등의 증상이 생길 수 있다.

다량 섭취 시, 사망에 이른다!

재미없어.

푸른머리되새 (♂)
(Fringilla coelebs)

"되새처럼 깨발랄해요"*

*프랑스에서는 명랑한 사람을 '되새(또는 방울새)처럼 발랄하다'고 말한다. -옮긴이

나도 재미없거든.

발칸작약
(Paeonia mascula)

2탄 (다음 편을 기대해 주세요.)

별 거 없죠?

조금만 기다려 보세요.

붓꽃은 누구한테 받았더라...

오래 전에 잊었어요.

-25-

오니소갈룸 움벨라툼
(Ornithogalum umbellatum)

저녁에는 꽃잎을 오므렸다가 새벽이면 다시 피어요.

폈다

오므렸다

폈다

오므렸다

폈다

신기하죠?

나도 산마늘과
친구 사이에요.
번식력도 못지않아요.

우리 정원
터줏대감,
작약
(Paeonia)

여기 온 지도 꽤 오래 됐구먼.

중국에선 음기 충전한 꽃으로
유명해요.

여러해살이풀

*남아메리카 원주민들이 사냥감을 마비시키기 위해 화살촉에 바르던 독. 콘도덴드론이라는 식물에서 추출한다. -옮긴이

부이영과 두슈 다리 사이 바르비레이 도로에서...

오래된 장미나무 (개화 순으로)

1등!

알프레드 카리에르
(Madame Alfred Carrière)

화려하면서 우아하고 섬세하면서
향기로운 꽃을 수시로 보여주는 장미.

눈도 즐겁고 입도 즐거워요!

차로 마실 땐 시든 꽃봉오리
2~3개 정도를 추천.

마흔 살 생일에 크리스틴과 에르베 부부에게 받은 선물!

여름을 두 번 지낸 특별한 장미다.

2등!

원기 왕성한
다마스크장미!
(Rose damascena)

오늘이
5월 8일인가?

빙고!

처음 이곳에 온 1999년에는
쐐기풀 더미에 묻혀 있었다.
집 뒤편, 남향에도 꺾꽂이를 할 걸.
뿌리도 튼실하니 잘 번식한다.

붉은장구채
(Silene dioica)

장구랑 아무 상관없어요.

바르비레이 성에서 발견했고,
팡티에에서 채취했다.

어린잎은 완두콩 맛이 나고,
익히면 시금치 맛이에요.

신석기인들도 먹었어요.

재배도 했대요.

나비나물
(Vicia
dumetorum)

암컷 날개 끝에는
주홍빛 무늬가 없어요.

깃주홍나비
(Anthocharis
cardamines) ♂

나르산마늘

시들시들~

개미붙이
(Trichodes
apiarius)

우리가 궁금하다면
스머프에게
문의하세요!

이름 모를 버섯들

이름은 아주 오래된 꽃 같지만 1987년에야 탄생했다.
세상에서 가장 많이 팔리는 장미다.

3등!

에덴로즈
(Pierre de Ronsard)

반가워요.

소문난 꿀벌 킬러. 유충일 땐 꿀벌 유충을
잡아먹고 성충일 땐 꿀과 벌을 먹으며,
벌집 안에 알을 낳는다.

갈색테두땡이
(Cepaea nemoralis)

정원달팽이라고도 해요.

대륙검은지빠귀
(Turdus merula)

2018년 5월 20일

꽃잎
두 장이
펼쳐지는
순간을
직접
목격!

귀한
구경했군!

인동덩굴
(Lonicera captifolium)

시베리아
붓꽃
(iris sibirica)

-34.

덩굴해란초
(Cymbalaria
muralis)

&

차꼬리고사리
(Asplenium
trichomanes)

내 여자
친구예요.

한 담장 쓰는 사이랄까요?

맞아요.

15세기부터 이탈리아에서
프랑스 남부로 아주 서서히
전파되었다.

지혈 효과가 있고, 괴혈병에도 좋다.

멕시코를 비롯한
남아메리카에서
왔어요.

거기선 저를
'여왕의 타코'라고
불러요.

한련화
(Tropaeolum majus)

세뇨리따!

식물, 그 강인한 생명력…

달팽이 한 마리가 붓꽃 줄기를 빨고 있다.
무척 수척해 보이는 붓꽃은 몸을 둥글게 말더니
마지막 남은 수액을 끌어올려 놀랍게도 다시 일어섰다.
그러곤 고개를 들어 꽃 두 송이를 차례로 피워냈다.
정말 대견하다!

미안! 구멍이 뚫렸네?

4등!

5월 19일

짠! 잔!

어쭈, 거기!

멜빌이 생애 첫
도롱뇽을 잡고
완전 신났다.
피에르 엘로이와
엘렌의 집에서.

우와! 이런 건
처음 봐!

뭐라고! 나도 너 처음 봐!

5월의 장미 중에 네 번째로
개화한 오래된 장미덩굴.
큐 램블러
(Kew Rambler)

-36-

멸발은 잠복근무 중... 개구리 잡기는 역시 만만치 않았다.

아름다운 바르비레이

성에서 ♡♡♡

먼지를 떨어내라, 오, 솜털 같은 꿀벌이여

그 발에는 금가루가 묻어나네

오, 밭의 우아한 싹들이여, 화려하도록 노오란 빛깔이여

네 안의 풍요를 내게도 들려주렴

오, 매발톱이여, 그 접힌 치맛자락을 펼치면 비둘기 두 마리가 숨어 있네

오, 야생 아룸이여, 연둣빛 꽃받침에 매달린 자줏빛 종을 울려다오!

진 잉겔로우
Jean Ingelow
(1820-1897)

그리하여 즐거운 유월이 찾아왔다. 유월은 배우처럼 녹색 이파리를 걸치고 있었다.

하지만 때가 되자 낫과 쟁기가 증명하듯 열심히 일했다.

유월은 레일을 따라 움직이는 수레에 올라탔고 수레는 덜컹거리며 유월을 실어 날랐다.

비뚤대는 느린 걸음으로, 마치 거꾸로 작동하는 예인선마냥 뒷걸음질치며, 수레가 움직였다.

에드먼드 스펜서 Edmund Spenser
(vers 1552-1599)

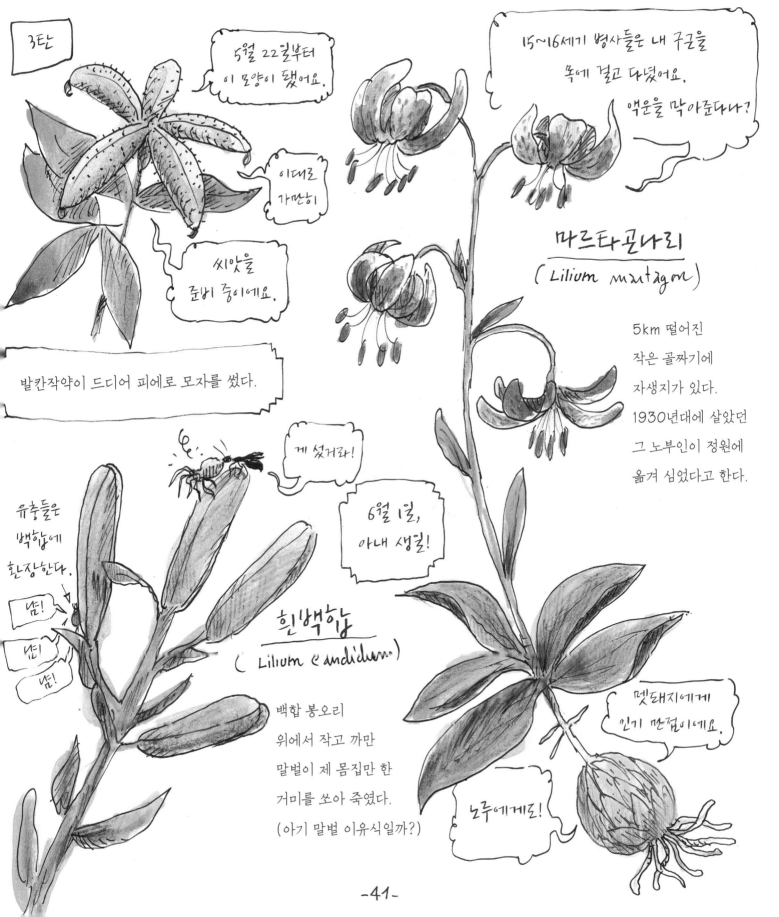

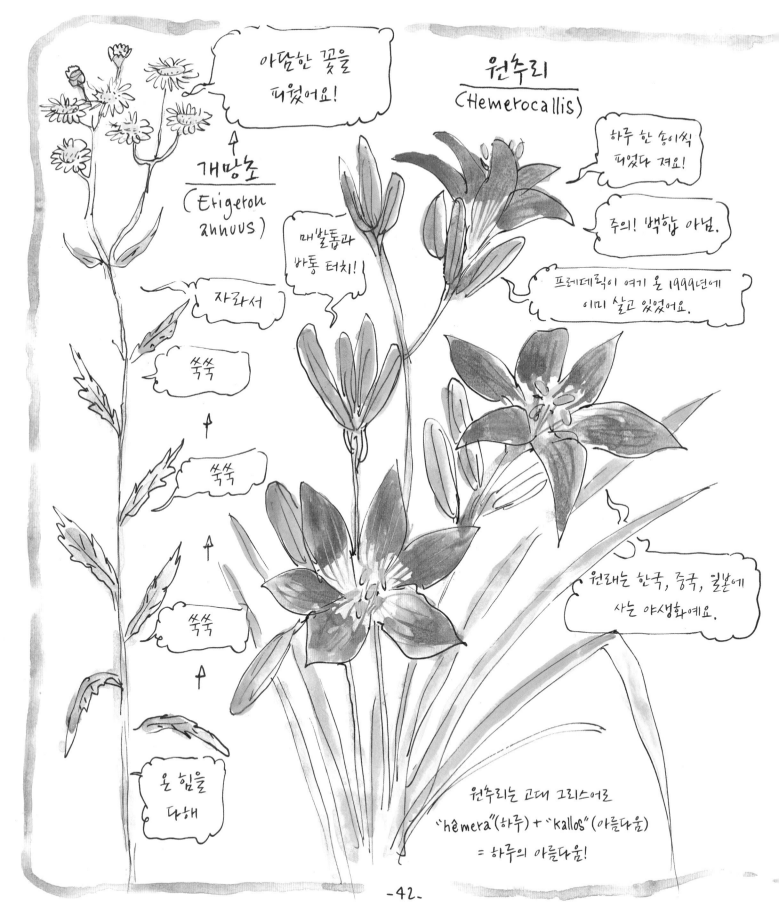

메이든 블러시
(Rosa alba 'Maidem's Blush')
19세기, 기대하던 진주 빛 백장미 대신
연분홍 꽃이 피자 이런 이름을 붙였다.
프랑스에서는 '님프의 허벅지'라 부른다.
(1835년 탄생)

5등!

지금까지 이런 향기는 없었다!

영국에서는 나를
'핫핑크'라고
불러요.

우린 몇 등?

4등!

번식력이 좋아요.

꽃도 오래가고

또...

또...

검은머리꾀꼬리
(Sylvia atricapilla)

아프리카
열대우림에서
겨울을 났어요.

왠지 너무
긴 꼬리
↓

노랑좁쌀풀
(Lysimachia vulgaris)

-43-

정원의 동쪽과 남쪽 모두에서 발견된 이 딸기도 1930년대에 살던 노부인의 솜씨인가보다. (이 집의 역사에 대해선 17, 59, 77쪽을 보세요.)

할아버지는 혼자 살던 이 부인을 생생히 기억하셨다. 바로 맞은편이 어린 시절 할아버지의 친구네였기 때문이다. 골목에서 그 친구를 부를 때면 할아버지는 자전거 위에 올라서서 부인 댁 우편함을 짚고 담벼락에 매달리곤 했다. 부인이 정원에 있다가 그 소리를 듣고는 안쪽에서 우편함을 닫아버리는 통에 할아버지 손가락이 끼였다고 한다. "아야!"

새콤 달콤!

주의사항:

정원 동쪽에서 가짜 딸기를 발견했다. '뱀딸기'는 열매가 동그랗고 딸기보다 잎이 짙다. 이파리 가장자리의 톱니바퀴도 둥그스름하다.

열매는 수분이 하나도 없고 아무 맛도 안 나요. 손으로 주무르면 바사삭 부서져요.

내 손으로 심은 장미. 세상의 모든 여성을 위해
〈엘르〉 잡지사에 헌정된 꽃이다.
그래서 이름도 '엘르(ELLE Meibderos)' 라고.

중세스러운
흑장미예요.

음···
어···

드라큘라가
생각나죠?

진한 후추
향이 나요.

잘 좀
표현해 봐.

독특한 향!
(향기보다 꽃이 훨씬 아름답다.)

블랙바카라 장미
(Rosier Black Baccara)

다른 징미들도 여럿 있는데 →
안타깝게도 이름을 까먹었다···.
(그럴 수도 있지, 뭐!)

2018년 6월 5일 화요일

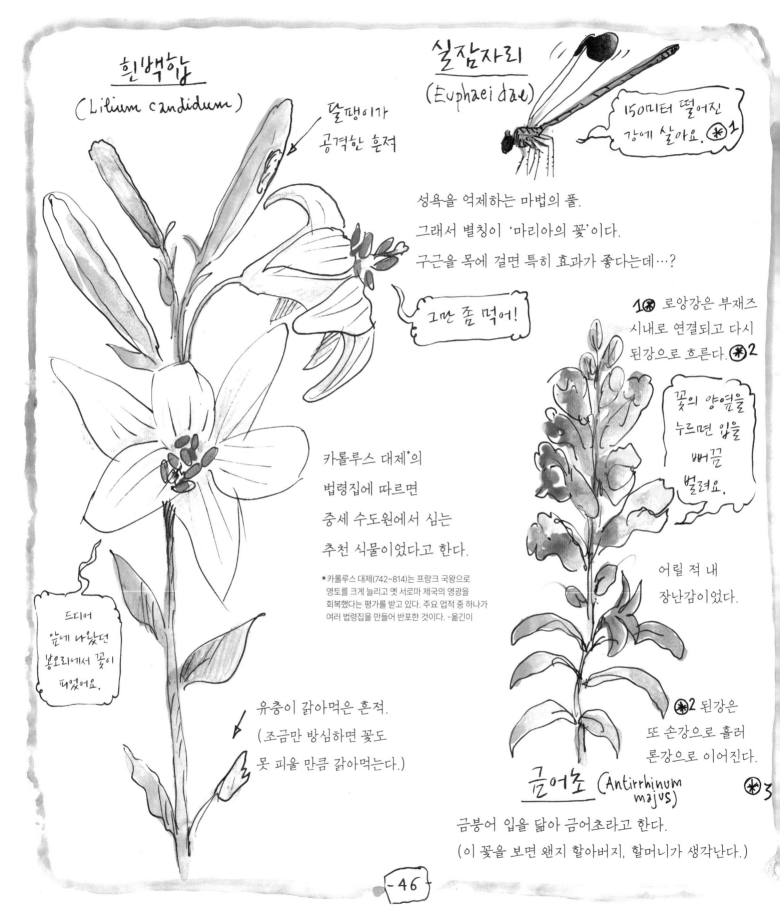

흰백합
(Lilium candidum)

달팽이가 공격한 흔적

실잠자리
(Euphaeidae)

150미터 떨어진 강에 살아요. ✱1

성욕을 억제하는 마법의 풀.
그래서 별칭이 '마리아의 꽃'이다.
구근을 목에 걸면 특히 효과가 좋다는데…?

그만 좀 먹어!

1✱ 로앙강은 부재즈 시내로 연결되고 다시 된강으로 흐른다. ✱2

꽃의 양옆을 누르면 입을 뻐끔 벌려요.

카롤루스 대제*의 법령집에 따르면 중세 수도원에서 심는 추천 식물이었다고 한다.

*카롤루스 대제(742~814)는 프랑크 국왕으로 영토를 크게 늘리고 옛 서로마 제국의 영광을 회복했다는 평가를 받고 있다. 주요 업적 중 하나가 여러 법령집을 만들어 반포한 것이다. -옮긴이

어릴 적 내 장난감이었다.

드디어 앞에 나왔던 봉오리에서 꽃이 피었어요.

유충이 갉아먹은 흔적.
(조금만 방심하면 꽃도 못 피울 만큼 갉아먹는다.)

✱2 된강은 또 손강으로 흘러 론강으로 이어진다.

금어초 (Antirrhinum majus)

✱3

금붕어 입을 닮아 금어초라고 한다.
(이 꽃을 보면 왠지 할아버지, 할머니가 생각난다.)

-46-

※3. 끝으로 론강은 지중해와 맞닿아 있다.

"정원을 가꿀 때 비로소 인생이 시작된다."는 중국 속담이 있다.

그렇다면 내 인생은 1999년에 시작되어 이제 곧 서른 살을 맞는다.

왕귀뚜라미 (Gryllus campestris)를 정원에 정착시키려고 몇 번이나 시도했다.

땅에 작은 구멍까지 뚫어 주었다.

하지만 1~2주 노래하다 어느 날 보면 사라지고 없었다….

그런데 2018년 6월 11일, 오늘만큼은 수풀의 정령에게 기도해 본다.

부디 여기에 터를 잡고 행복하게 살아 주기를,

그래서 아기 귀뚜라미 노랫소리도 들려 주기를!

울타리쐐기풀
(Stachys sylvatica)

붉은까불나비
(Vanessa atalanta)

"붉은까불나비 한 마리가
새처럼 빠르게 날았다.
검고 화려한 날개에
선홍색 굵은 띠를 둘렀다."

제라르 드 네르발
Gérard de Nerval

작은멋쟁이나비
(Vanessa cardui)

나를 뽑아
기릴까 말까
고민 중이래요.

번식력이
어마어마
하거든요.

냄새는
고약해도
꽃은
아름다워요.

냄새
얘긴 괜히
했나?

프랑스어로는 '불카누스'.

불과 대장장이의 신이에요.

그리스어로는
'헤파이토스' 라고 해요.

영국에선
'페인티드레이디'
라고 해요

냄새가 난다고는 해도 어린잎과 구근을 익히면
맛있는 버섯 향이 나요.

신석기 때는 인기가 많았어요. 중세에도.

풍경을 훑는 안느.

♡ 팡티에 호숫가의 코마랭 성에서. 앙리 뱅스노의 소설 〈혼란(La Billebaude)〉에 이 성이 등장한다.

사실 앙리가 코마랭에서 살았기 때문인 것도 같다. Ⓑ

아칸서스
(Acanthus)
(로마에선 '아칸투스')

가시 돋친 미녀예요.

타이야드에서 키누가 선물해 줬어요.

그리스 신화 속 아칸서스는 님프였다.
아폴로가 납치하려 하자 그녀는 아폴로의
얼굴을 할퀴어 상처를 냈다.
화가 난 아폴로가 그녀를 가시 돋친
연보라 꽃으로 만들어 버렸다고 한다.

젠장!

미투 폭로할 거야!

고대 신화는 문제가 많다니까!

아칸서스
잎의 모양은
고린도 양식의
그리스 건축물에서
기둥머리를
장식하는 등
고전주의 건축과
미술의 장식 모티브로
활용되었다.

와우!

내 이름도 아폴로. 괜히 억울하네.

근사한데!

아폴로모시나비
(Parnassius apollo)
정원이 아니라 산에 살아요.

아폴로보다 멋지군!

-53-

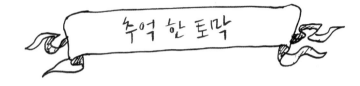

추억 한 토막

옆의 스케치는 신석기 시대의 유물도, 우리 정원에 원래 있던 것도 아니다.

1984년부터 1993년까지 언덕 위의 작고 오래된 채석장에서

우리가 캠프파이어를 즐기던 곳이 있었다.

'우리'라 함은 쥘리에트와, 카로, 올리비에, 나, 프랑시스, 니코,

그리고 가끔 참석하는 다른 몇몇 친구들을 말한다.

그렇게 모인 우리는 십여 년간 작고 예쁜 채석장 돌 터에서 모닥불을 피우곤 했다.

하지만 인근에 새 포도원이 들어서며 채석장도 없어지고

그 장소가 주던 묘한 분위기도 한순간에 사라지고 말았다.

모든 것은 형의 아이디어였다.

우리는 돌을 하나하나 옮겨 싣고 트럭으로 두어 번 오가면서

땀방울을 흘린 끝에 채석장의 모든 것을 정원으로 옮겼다.

마치 원래 있었던 것처럼. 옛 갈리아의 분위기가 나는 이곳에서

우리는 밤을 지새우고 마시고 즐기고 때론 함께 동이 트는 것을 보았다.

(뒤로 보이는 담은 14세기에 지었는데 도랑이 성 옆의 물레방아까지 흘러가도록

물길을 만드는 역할을 했다. 물레방아는 수도원에서 만들어 수도원 소유였다.)

우리는 이 모임을 '죽은 시인의 사회'라고 불렀다.

병도 주고
약도 주는 대나무.
1년 365일
변치 않는
이 푸르름을 나는
사랑한다.
바람이 불 때면
들려오는 대나무가
파도치는 아름다운
소리를 사랑한다.
대나무 숲은
사시사철 머무는
찌르레기의
안식처이기도 하다.
하지만 혹독했던
지난겨울,
수분 가득한 몸으로
추위를 맞아서일까?
2월이 되자
그을린 빵처럼
갈색이 되어 버렸다.
잘라 내야 하나
고민하던 중에…
기적처럼 다시
자라기 시작한다.

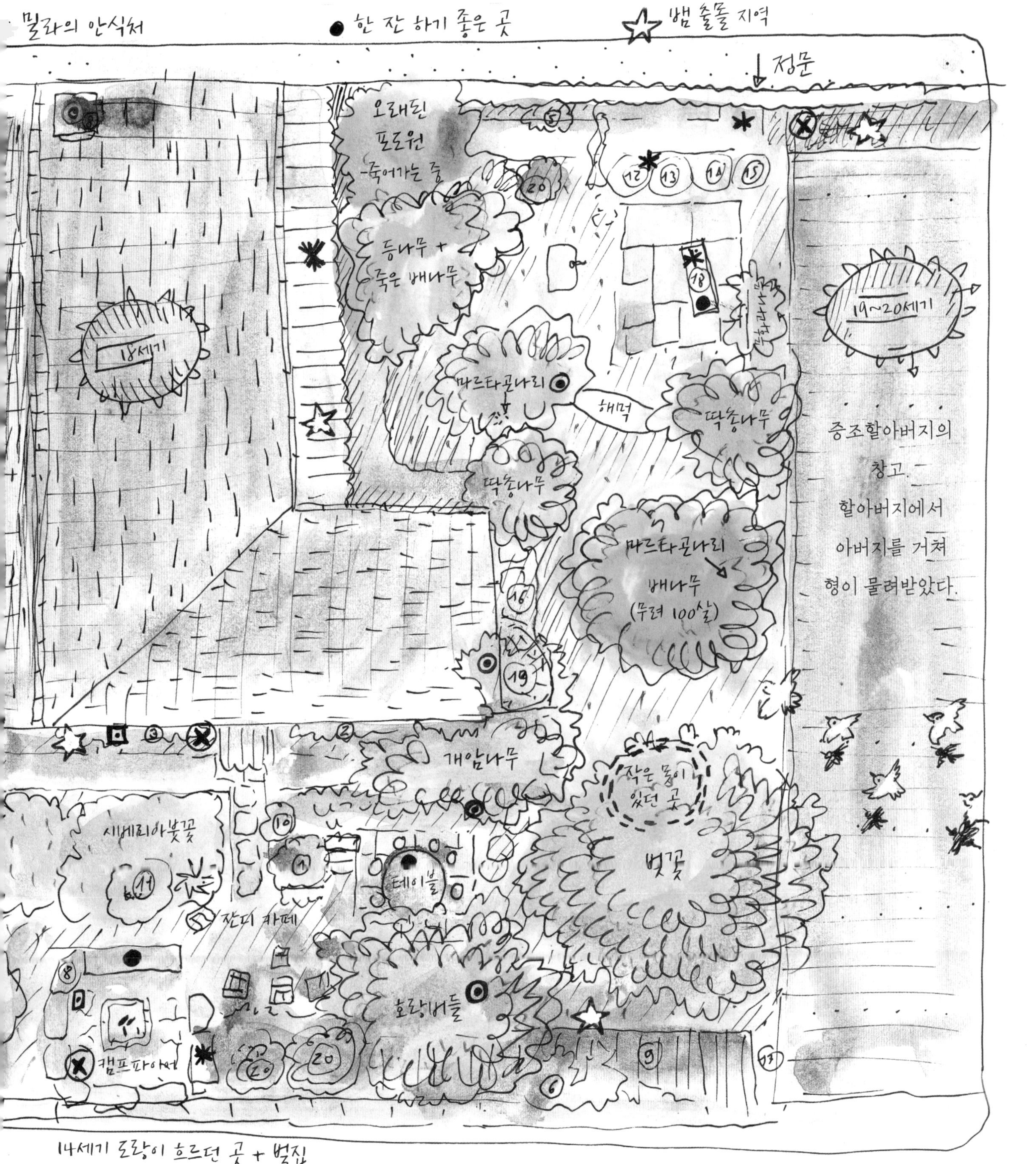

밀라의 안식처　　　　●한 잔 하기 좋은 곳　　　★뱀 출몰 지역

↓ 정문

오래된 포도원
-죽어가는 중

18세기

등나무 +
죽은 배나무

19~20세기

마르타곤나리 ●

해먹

딱총나무

증조할아버지의
창고.
할아버지에서
아버지를 거쳐
형이 물려받았다.

딱총나무

마르타곤나리
배나무
(무려 100살)

개암나무

작은 웅덩이
있던 곳

벚꽃

시베리아붓꽃

데이블

잔디 카페

호랑버들

캠프파이어

14세기 도랑이 흐르던 곳 + 벌집

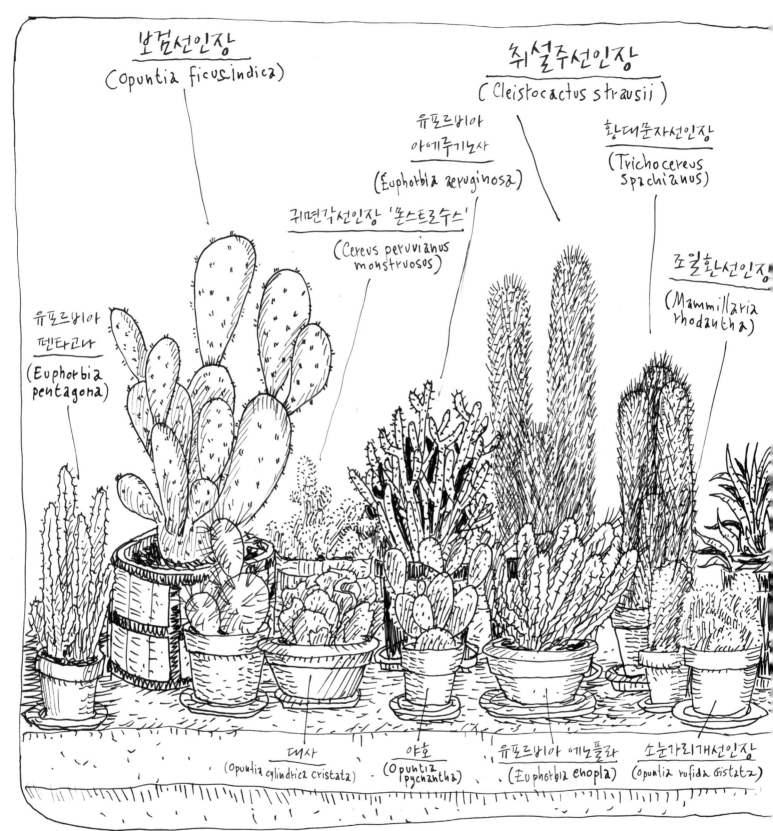

보검선인장
(Opuntia ficus-indica)

취설주선인장
(Cleistocactus strausii)

유프르비아
아에주기노사
(Euphorbia aeruginosa)

환대문자선인장
(Trichocereus spachianus)

귀면각선인장 '몬스트로수스'
(Cereus peruvianus monstruosos)

조일환선인장
(Mammillaria rhodantha)

유프르비아
펜타고나
(Euphorbia pentagona)

대사
(Opuntia cylindrica cristata)

야호
(Opuntia pychantha)

유프르비아 에노플라
(Euphorbia enopla)

소눈가리개선인장
(Opuntia rufida cristata)

우리 집 선인장과 다육식물(유프르비아)들은 5~9월은 야외에서, 겨울철은 실내에서 지낸다.

(선인장은 아메리카 ≠ 다육식물은 아프리카)

-60-

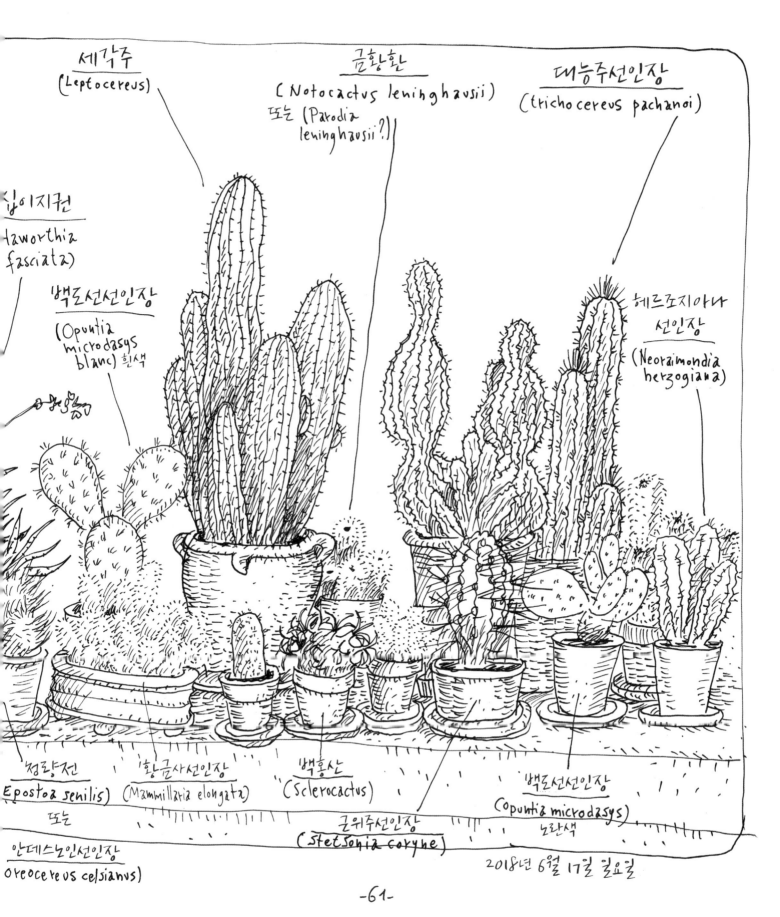

세각주
(Leptocereus)

금황환노
(Notocactus leninghausii)
또는 (Parodia
leninghausii?)

대능주선인장
(trichocereus pachanoi)

십이지권
(Haworthia
fasciata)

백도선선인장
(Opuntia
microdasys
blanc) 흰색

헤르조지아나
선인장
(Neoraimondia
herzogiana)

정량전
Epostoa senilis)
또는

황금사선인장
(Mammillaria elongata)

백홍산
(Sclerocactus)

백도선선인장
(Opuntia microdasys)
노란색

안데스노인선인장
Oreocereus celsianus)

금위주선인장
(Stetsonia coryne)

2018년 6월 17일 일요일

아프리카 장수풍뎅이처럼

유럽남방장수풍뎅이(Oryctes nasicornis)도

하마터면 사라질 뻔했다….

나도 어릴 때 본 적이 없을 정도다.

아버지가 어릴 적엔 종종 보셨다고 한다.

내 뿔을 정력제라고
생각하는 사람이 없어서
정말 다행이에요.

휴!

그런데 요즘, 이 친구가 돌아온 듯하다.

사슴벌레가 늘어난 것과 같은 이유로(56쪽을 보세요).

최대 길이: 4cm

내가 채집한 장수풍뎅이는 이웃 친구가 자기 집 지하

포도주 창고 계단에서 발견했는데 이미 죽어 있었다고 한다.

포도주 향에 취해 출구를 못 찾고 헤맸나 보다.

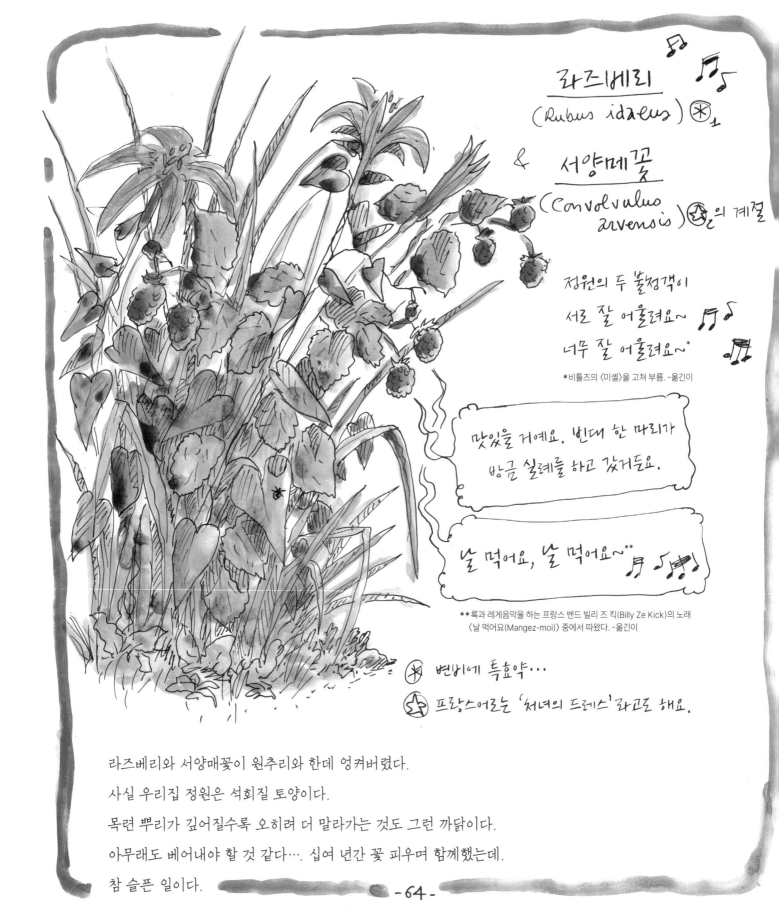

라즈베리
(Rubus idaeus) ✳의

& 서양메꽃
(Convolvulus
arvensis) ★의 계절

정원의 두 불청객이
서로 잘 어울려요~
너무 잘 어울려요~*

*비틀즈의 〈미셸〉을 고쳐 부름. -옮긴이

맛있을 거예요. 빈대 한 마리가
방금 실례를 하고 갔거든요.

날 먹어요, 날 먹어요~**

**록과 레게음악을 하는 프랑스 밴드 빌리 즈 킥(Billy Ze Kick)의 노래
〈날 먹어요(Mangez-moi)〉 중에서 따왔다. -옮긴이

✳ 변비에 특효약…
★ 프랑스어로는 '처녀의 드레스'라고도 해요.

라즈베리와 서양매꽃이 원추리와 한데 엉켜버렸다.

사실 우리집 정원은 석회질 토양이다.

목련 뿌리가 깊어질수록 오히려 더 말라가는 것도 그런 까닭이다.

아무래도 베어내야 할 것 같다…. 십여 년간 꽃 피우며 함께했는데.

참 슬픈 일이다.

공작나비
(Aglais io)

누가 세상에서 제일 예쁜지?

나야, 나!

바람과 발길이 닿지 않는 곳, 모든 것이 스스로 치유된다.

27!

집에서 멜빌 학교까지, 흰턱제비(Delichon urbicum) 둥지가 이렇게나 많아졌다.

작년에는 겨우 열여덟 개였는데!

지지배배, 지지배배!

위이잉!

중량: 20g 비행거리: 최소 10,000Km

어이쿠!

야호!!!

북쪽 높이 사는 제비일수록 더 남쪽으로 내려와 겨울을 난다.

제비의 미친 여정...

우리 동네 비행사들

Les voiLiers

둥지가 많으면 새똥도 많은 법!

냄새는 맡을 만해요.

새똥치고는,

남아프리카공화국 더반에서는 월드컵 유치로 공항을 건설하면서 3백만 마리가 넘는 제비들의 서식지가 사라질 위기에 처했었다.

-66-

(Ziii = 맴맴! 자기야, 어딨어?)

사랑을 위해서라면 지칠 줄 모르는 게 매미다. 기온이 25도만 넘으면 목이 쉬어라 울어 대는데,
이렇게 우는 건 모두 수컷들이다. 60년대에 사라졌다가 다시 대거 등장한 것은… 어쩌면 온난화 때문일까?
아니면 포도원에서 농약을 덜 쳐서일까? 어쨌든 나도 기분이 매애앰, 아니 매애우 좋다!

프레드는 나를 ♥ 해.

유럽유혈목이
(Natrix natrix)

미모, 몸매, 유연함, 우아함, 민첩함…
무엇 하나 빠지지 않는 이 풀뱀은 손으로
잡기에 너무 미끄러운데다 성격도
공격적이어서 두 번이나 물렸다.
이것이 1~2년생 정도의 크기다.
멜빌과 쉬제트도 이 뱀을 만져 보았다.
정원에는 이 아기 뱀의 아빠 엄마도
살고 있는데 길이가 1미터 50cm는
족히 되고 훨씬 민첩해서 잡기가
여간 어려운 게 아니지만, 그 어려운 걸
내가 해냈다는 사실!
딱 한 번, 그것도 물리지 않고!

아기 뱀의
실물 크기

◀ 기어오르기 선수에
수영도 수준급이다.

6월 29일 금요일

크리스틴과 엠마가 놀러 왔다.
아이들은 숨바꼭질을 하다 뱀을 발견했고
다들 길조라며 좋아했다.
제발 아기 두꺼비는 건드리지 말아다오….
네가 개구리와 도롱뇽 좋아하는 건 잘 알고 있거든….
밀라가 잡았다 놓아 준 쥐들도 어디선가 떨고 있겠지.

밀라가 이 모든 동물과 마주칠 것이라 생각하니… ☺

접시꽃 (Alcea rosea)

접시꽃은 중세 시대 십자군이 성지에서
채취해 와서 유럽에 뿌리내렸다고 한다.
그리고 우리 할아버지가 심은 접시꽃은
이집트 여행 중에 아스완 댐 건설현장에서
채취하셨다고 한다.
그게 어언 50년 전이다….

여름의 시작을
알리는 꽃!

구월

JUILLET

꽃봉오리 수액을 빨아먹는
아기 노린재들 때문에
말라가고 있어요…

그래도 아직 배고파요!

많이 먹고 쑥쑥 커야지!

네발나비과예요.
산기슭이나 평지에서 볼 수 있어요.

플푼범나비 (Argynnis aglaja)

우리 정원의 나방과 나비들

연푸른부전나비
(polyommatus icarus)

큰배추흰나비
(Pieris brassicae)

이런 식으로 모아 놓고 소개하는 거 딱 질색이야.

글쎄,

금방 풀어줄 거래.

줄나비 (Limenitis reducta)

쳇!

내 순서는 대체 언제야?

상제나비
(aporia crataegi)

꼭 이렇게 해야 한대?

언제 끝나는 거야?

산호랑나비
(papilio machaon)

나도 네발나비과 예요.

쐐기풀나비
(Aglais urticae)

좀 기다려 봐.

크로케아노랑나비
(Colias crocea)

어이, 쐐기풀!

이리 좀 와 봐.

저지타이거나방
(Euplagia quadripunctaria)
밤낮 없이 날아다니는 나방.

헷갈림 주의!

문지기나비 (Pyronia tithonus)

끝, 협조에 감사드립니다!

-71-

정원에 작은 변화를 가져올 '공사'에 착수하기 전, 짧은 산책을 했다.

소낙비 한바탕에 열대 우림이 되었다. ♡

어린 시절 내 마음을 사로잡은 동물 두 마리!

그중 하나는 후투티였다. 희귀한데다 어딘가 이국적인 외양 때문이다.

겨울이면 제비처럼 아프리카로 날아간다는 것을 나중에야 알았다.

나머지 하나는 꼬리박각시였다. 오랫동안 나는 이 나비가 '완전 회귀한' 초소형 벌새인 줄 알았다.

형이랑 실제로 잡아 보기 전까지는….

실은 '흔하디흔한' 예쁜 나비 중 하나라는 걸 알고 얼마나 실망했던지!

나랑 같은 옷을 입었네!

꼬리박각시
(Macroglossum stellatarum)

나도 겨울이면 남쪽으로 떠나.

후투티
(Upupa epops)

후투티는 열대지방에서 겨울을 나는 여름철새다. 머리 깃털이 인디언 장식 같다.

꽈리
(Physalis
alkekengi)

87쪽 참고

마을 부근 길가나

빈터에서도 잘 자라요.

때가 되면 열매 주머니가
빨갛게 익지만

아직은 녹색이에요.

'초롱불'이라고도
불러요.

한국, 일본, 중국에
분포하며 열매는 빨갛게
익으면 먹을 수 있다.

메뚜기나 귀뚜라미의
사촌뻘 되는 이 곤충은
딱 한 번 본 적이 있다.
땅도 파고 헤엄도 치고
심지어 날아다니기까지….
이쯤 되면 천하무적 아닌가?

드르르르르르르…

양 갈래
뿌리

끝까지 뻗을 테야!

★ 구월 구월

유럽땅강아지
(Gryllotalpa gryllotalpa)

오늘 저녁은 지렁이랑
풍뎅이 유충을 곁들인
나무뿌리를 먹어야지.

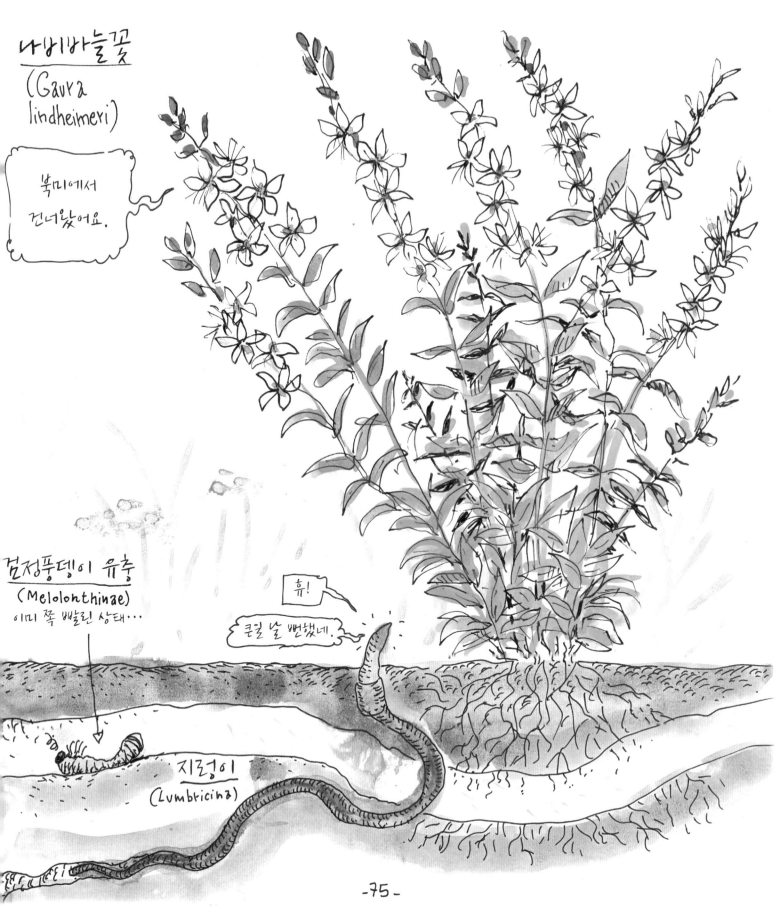

토끼풀
(Trifolium)

찾았다!

네잎클리버는

귀하신 몸!

가끔씩 정원에서 발견된다!

안녕!

소포클레스는 내가
독초라고 했다나요?
세상에!!!

플리니우스는
나를, 독사에
물렸을 때
해독제로 썼어요.

드루이드*는 내가 귀신을
쫓아 준다고 믿었지요.

로마인에게는
행운의 상징이었죠!

천주교에서는 좀 복잡하게 말해요.
첫째 잎은 소망, 둘째 잎은 믿음,
셋째 잎은 사랑, 넷째 잎은 행운이라고.

어떤 전설에 따르면
잎 하나에 사랑,
잎 둘에 재물, 잎 셋에 명예,
잎 넷에 건강이래요.

오늘은 네잎클로버 찾기에 실패했다.
네잎클로버를 자연 상태에서
찾을 확률은 10,000분의 1이라고 한다.

*드루이드는 고대 켈트인의 신앙을 담당하던 성직자. -옮긴이

집을 둘러싼 작은 오솔길. 작은 문 뒤에는 화장실, 아니 정확히 말해 구멍이 하나 있다. 오래 전에 살았던 그 부인이
볼일을 보던 곳이라고 하니까 무려 1세기가 지난 유물이다! 하지만 지금은 풀밭에 묻히고 말았다.

수국
(Hydrangea
aspera
macrophylla)

8월 6일

종일 30도를
웃돌던 날!!!

떡갈잎수국
(Hydrangea quercifolia)

공꽃
(Echinops ritro)

→ 라틴어로는 '에키놉스'
"echinos" = 고슴도치
+ "opsis" = 닮았다

-78-

보름째 이게 웬일.
아프리카인 줄기!?

AOÛT
8월

정신 차려,
이건 열대야야!

나무수국 '팬텀'
(Hydrangea paniculata
"Phantom")

정원도 더위를 탄다.
선인장만 빼고.
저녁이면 지쳐서
죽 늘어진 이이들에게
물을 뿌려 준다….

나는 내 일을
♥ 해요!

잠자리 대작전! 은빛 날개로 정원을 누비는 아름다운 아이들!

누가 나 불렀니?

난 아냐!

정실잠자리
(Lestes sponsa)

물잠자리
(Calopteryx virgo)

죽으면 온몸이 검어져요. 열대어처럼.

별박이왕잠자리
(AEschna cyanea)

실잠자리
(Erythromma najas)

최고의 천적은 밀라!

원래는 녹색이에요.

가장 큰 건 맞지만 이 정도는 아님.

우리 둘은 무시무시하게 생겼어요!

로앙강이 마르면 잠자리로 뜰해져요.

빨간실잠자리
(Ceriagrion tenellum)

시로 때로 읽는 별박이왕잠자리 (Aeshma cyanea)만 빼고.

넓적잠자리
(Libellula depressa)
납작하게 누른 것처럼 생겼다.

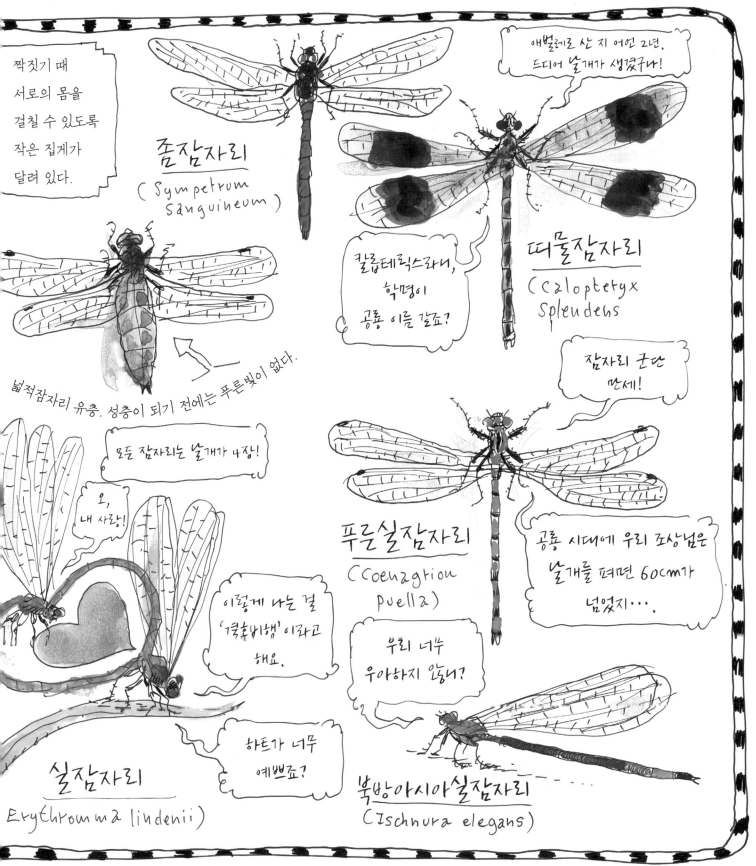

짝짓기 때 서로의 몸을 걸칠 수 있도록 작은 집게가 달려 있다.

좀잠자리
(Sympetrum sanguineum)

애벌레로 산 지 어언 2년. 드디어 날개가 생겼구나!

칼롭테릭스스라더, 학명이 공룡 이름 같죠?

떠물잠자리
(Calopteryx splendens

넓적잠자리 유충. 성충이 되기 전에는 푸른빛이 없다.

잠자리 군단 만세!

모든 잠자리는 날개가 4장!

오, 내 사랑!

공룡 시대에 우리 조상님은 날개를 펴면 60cm가 넘었지...

푸른실잠자리
(Coenagrion puella)

이렇게 나는 걸 '결혼비행'이라고 해요.

우리 너무 우아하지 않니?

실잠자리
(Erythromma lindenii)

하트가 너무 예쁘죠?

북방아시아실잠자리
(Ischnura elegans)

집에서 그리 멀지 않은 곳에서 포도가 익어간다···.

사비니-레-본

←———→ 2km / 인구 약 1,300명

탐스러운 포도송이들··· 하지만 무자비한 폭염 탓에

본
5km / 인구 약 22,000명

페르낭 베르즐레스
4km / 인구 약 250명

알록스-코르통
3km / 인구 약 140명

껍질이 두꺼워지고 과즙이 말랐다.

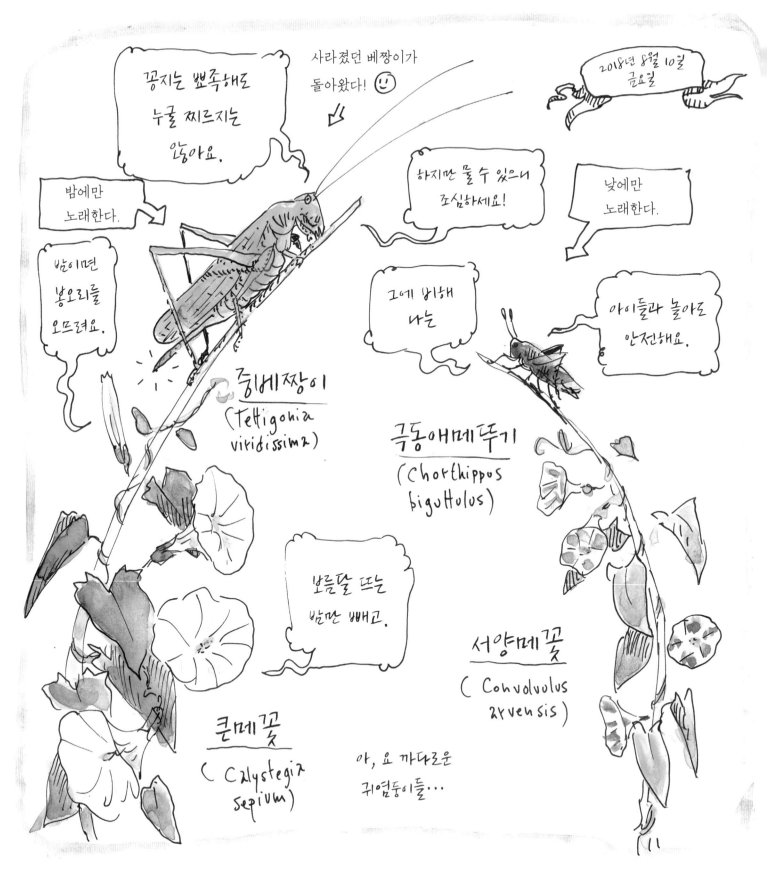

발칸작약에게 무슨 일이…?

18, 25, 41, 86, 90, 190쪽을 보세요.

말라가고 있어요.

구부러지고

누렇게 떠서

부풀어 올라요.

지금은 소중하고 아름다운 씨앗을 만드는 중…

4탄

8월 14일

시간이 좀 걸려요.

뼈로 못 추리게 해 주마.

피에르-엘로이와 엘렌의 집으로 가던 길에 나는 사계 장미에게 물 주는 걸 깜빡했음을 깨달았다.
(그러고도 아직 주지 않았지만…)
피에르-엘로이와 엘렌의 집은 꽃이 가득했다.
우리 집은 네다섯 송이가 전부인데.

내 먹이는 비둘기, 지빠귀, 찌르레기, 염주비둘기…

대체 누가 남의 정원에 새 깃털을 잔뜩 흩어 놓는지 오랫동안 궁금했다.
뼈도, 머리도, 발톱조차 없었다.

지난겨울, 멜빌의 방 근처에서 새매 한 마리가 죽은 채 발견됐다.

그러던 어느 날, 우리는 이 엄청난 현장을 목격하고 말았다!

새매 (Accipiter nisos)

Septembre!
9월 1일! 내가 태어난 달!

1er
내 생애 처음 맞이했던 달이 돌아왔다.

9월 1일 생일날, 나는 레 섬에서 돌아왔다. 이제 반백 살이 다 되었다.

5탄

실눈 뜬 것 같죠?

발칸작약의 끝없는 변신을
눈여겨 보자.

18, 25, 41, 86, 90,
190쪽을 보세요.

잎을
벌린
것도 같고.

9월

SEPTembre

아직 끝이 아니에요.

올 여름에는 가뭄에도 잎들이 푸르렀다.

그에 비해 발칸작약의 광대 모자는 제법 누렇게 변했고 어느덧 틈이 벌어져서 까맣고 빨간 씨앗이 반짝거린다.

꽈리도 변신을 마쳤다.

한 해가 저무니 모든 것이 영글어 간다.

짜잔!

74쪽을 보세요.

곧 무르익을 거예요.

양조장의 포도 향기에 온 마을이 취하는 계절...

꽈리가 주황빛으로 물들면 포도가 익어간다.
정원에서 꽈리를 따듯 포도밭에서도 수확이 시작되고 일꾼들이 팔을 걷어붙인다.
저 멀리 길가에서 트랙터 소리가 들린다.

"일 년 열두 달

그중에 내 사랑은 황금빛 구월!

이슬을 머금은 가녀린 거미줄과 사색에 잠긴 고요한 새벽

작은 까마귀 떼의 떠드는 소리

갈색 낙엽과 밭을 수놓은 볏단들이

내 영혼의 가을에 울려 퍼진다

봄보다 찬란한 계절이여!"

'내 영혼의 가을'을 노래하던
알렉산더 스미스는 서른일곱 살에 요절했다.

폴 스미스 스타일

Alexander Smith
(1829-1867)

예상과 달리 아내는 카로와 쥘리에트의 포도원에서 즐거운 한때를 보냈다.

무려 30도였는데, 전지가위를 들고!

올해는 포도가 풍년! 여름 가뭄 탓에 껍질이 두껍고 알은 작지만 과즙 가득한 포도가 주렁주렁 달렸다.

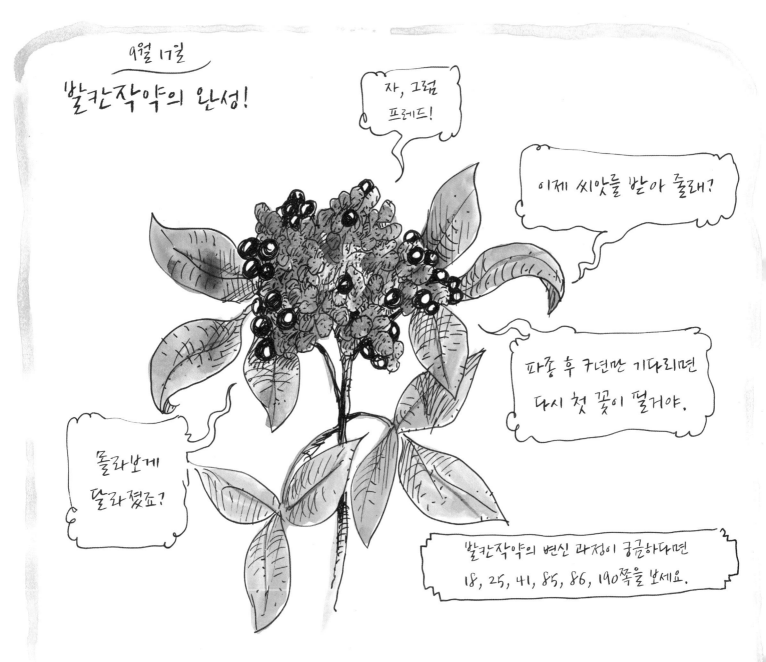

야생 제라늄과 세이지처럼 응달에 자리를 잡는 바람에 꽃피우지 못한 식물을 볼 때면
밤하늘을 수놓는 별무리가 생각난다. 그중에는 가끔 오색찬란한 별도 있게 마련이다.

작년에는 거미줄에 매달린 예쁜 고치를 발견했다.

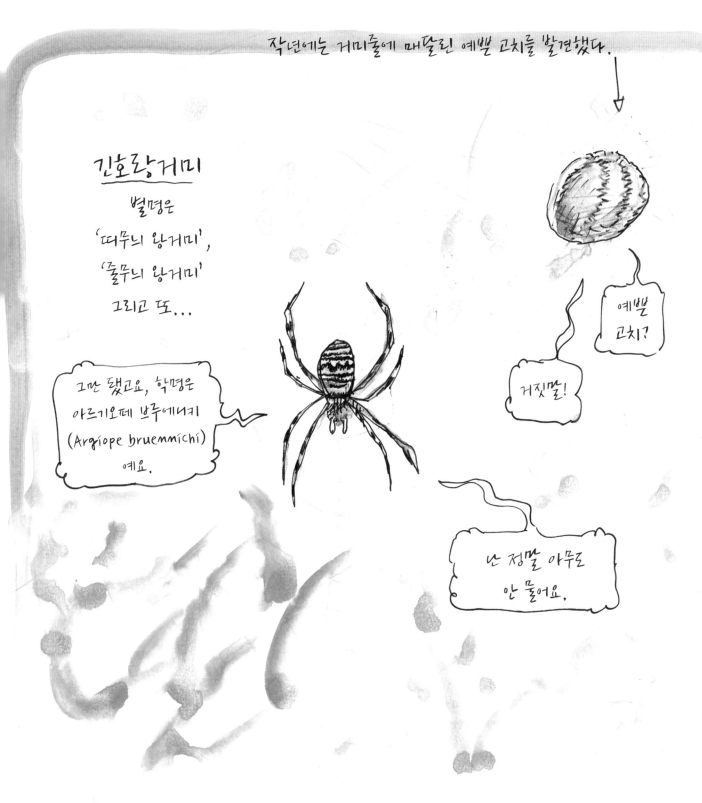

긴호랑거미

별명은
'떠무늬 왕거미',
'줄무늬 왕거미'
그리고 또...

그만 됐고요, 학명은
아르기오페 브루에네키
(Argiope bruennichi)
예요.

예쁜
고치?

거짓말!

난 정말 아무도
안 물어요.

거미는 가시덤불이나 덩굴식물인 송악에서 매년 한두 마리씩 나타난다.

"내가 바라는 삶이 주어지기를.
내 곁에 샘이 흐르기를.
머리 위로 경쾌한 하늘이 펼쳐지고 발 앞에
한산한 길이 이어지기를.
덤불에 누워 별을 보고 강물에 적신 빵을 먹고.
나에게는 그것이 인생이라.
그것이 영원한 삶이라.

힘든 일은 언젠가 지나가기를.
될 일은 되기를.
대지의 얼굴을 보여주기를.
내 앞에 길이 이어지기를.
부유함도 희망도 사랑도 내 몫이 아니지.
진정한 친구를 찾지도 않지만 머리 위에 하늘,
발아래 길이 펼쳐지면 그뿐.

리버트 루이스
스티븐스

Robert Louis Stevenson
(1850-1894)

혹은 내가 거니는 들판에 가을이 펼쳐지기를.
나무 위 새 소리를 멎게 하는,
푸르러진 손가락에 입김을 부는 가을.
서리 내린 들판은 밀가루처럼 희고
난롯가는 따스하네.
가을 앞에 무너지지 않으리.
겨울에도 지지 않으리.

힘든 일은 언젠가 지나가기를.
될 일은 되기를.
대지의 얼굴을 보여주기를.
내 앞에 길이 이어지기를.
부유함도 희망도 사랑도 내 몫이 아니지.
진정한 친구를 찾지도 않지만 머리 위에 하늘,
발아래 길이 펼쳐지면 그뿐."

리버트는 이런 사람이었다!

"시골의 바이올리니스트, 울새가 돌아왔다.

또르르 떨어지는 물방울처럼

멜로디가 창가를 두드린다."

르네 샤르

René char.
(1907-1988)

✳ 9살

✳ 사랑하는 멜빌의 생일을 축하합니다!

(2018년 10월 2일)

Erithacus rubecula

유럽붉은가슴울새

에릭 라인하르트
Éric Reinhardt :

"내 작품 최고의 장면들은 가을에 탄생했다.
내 생애 가장 황홀하던 순간도 가을에 맞이했다.
세상에서 가장 매력적인 여인들의 마음을 훔친 것도,
앙드레 브르통이 나자를 만난 것도 가을이었다.
봄이었다면 나자를 만날 수 있었을까?
스탕달이 《파르마의 수도원》을 쓴 것노 가을이었다.
가을이 아니었다면, 혹 사월이었다면, 스탕달이라 한들
그 작품을 53일 만에 써낼 수 있었을까?…"

작년에 심은 무화과나무(Ficus carica)가
정원 남쪽 귀퉁이를 채워 주었다.
올여름 가뭄에도 제 몫을 톡톡히 해냈나.
고대 그리스와 이집트에서 처음 재배한
과수* 중 하나로 소아시아에서 왔다고 한다.

＊ 올리브나무, 포도나무와 함께.

-95-

몇 주째 이어지는 쪽빛 하늘, 서양낭비둘기와

알록스-코르통 마을. 온화하고 을씨년한 날씨.

찌르레기가 떠날 채비를 한다.

해마다 수가 줄어들고 있다.

내가 천방지축 꼬마였을 땐 제비도 수백 마리씩 모여들곤 했는데….

2018년 11월

내일 기온이
24도래요.

좀 쉬어야겠어요.

흰점찌르레기
(Sturnus vulgaris)

친구들이랑 대나무 숲에서
놀아야지.

찌르레기 노랫소리가 참 좋다.
아프리카에서 듣던 멜로디가 떠오른다.

10월 14일 일요일. 에글랑틴과 도미니크가 산책에 동행했다.

굴뚝새

(Troglodytes troglodytes)

어제 저녁, 아르크-에-세낭 왕립제염소에서 열린《과일나무 이야기(Chronique de la fruitiere)》* 사인회를 마친 후, 물랭 드 브레낭스에서 콘서트를 관람했다. 환상적인 깜짝 선물이었다. 멜빌을 위한 첫 번째 책!   ♪♩...

*《과일나무 이야기》는 이 책의 저자 프레드의 첫 그래픽 노블 작품. -옮긴이

10월 26일, 선인장들을 대피시켰다.

처음 있는 일이었다.

아직은 밤에도 얼지 않지만 기온이 4~5도까지 떨어졌기 때문이다.

석재공장 공터에서 데려와 내 학창시절부터 노지에서 키운 몇 개는 그대로 바깥에 두기로 했다.

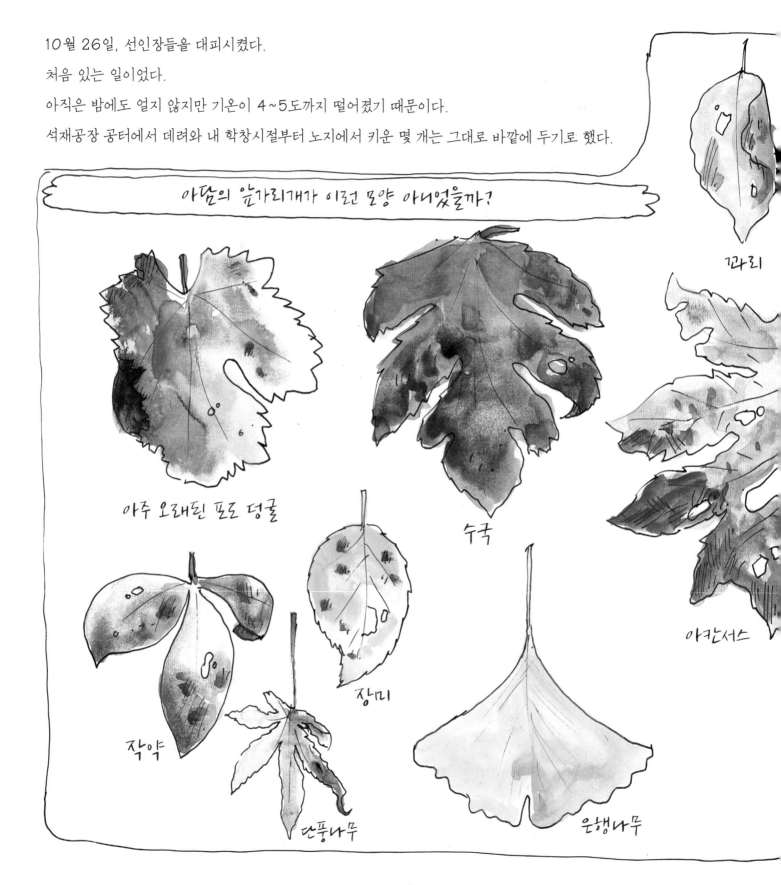

아담의 앞가리개가 이런 모양 아니었을까?

아주 오래된 포도 덩굴

수국

꽈리

아칸서스

작약

단풍나무

장미

은행나무

미국담쟁이덩굴

플라타너스

무화과나무

개암나무

송악

지금 누가
비웃냐?

등나무

ÇA Y EST, IL PLEUT _vraiment_ !

드디어 단비가 내린다!

토요일부터,
날씨가 겨울로
접어들었다.
이 계절을 썩
좋아하지 않지만
음악을 들으며
멋진 저녁을
보냈다.

털갈이를 마친 밀라는 시큰둥하다.

2018년 10월 29일 월요일

그리고 10월 30일, 오늘 아침. 정원에는 눈발이 날렸다. (쌓일 만한 눈은 아니었다.)

◉ 기욤 롱의 그림 ☆
◉ 장-프랑수아 마르탱의 그림 ☆

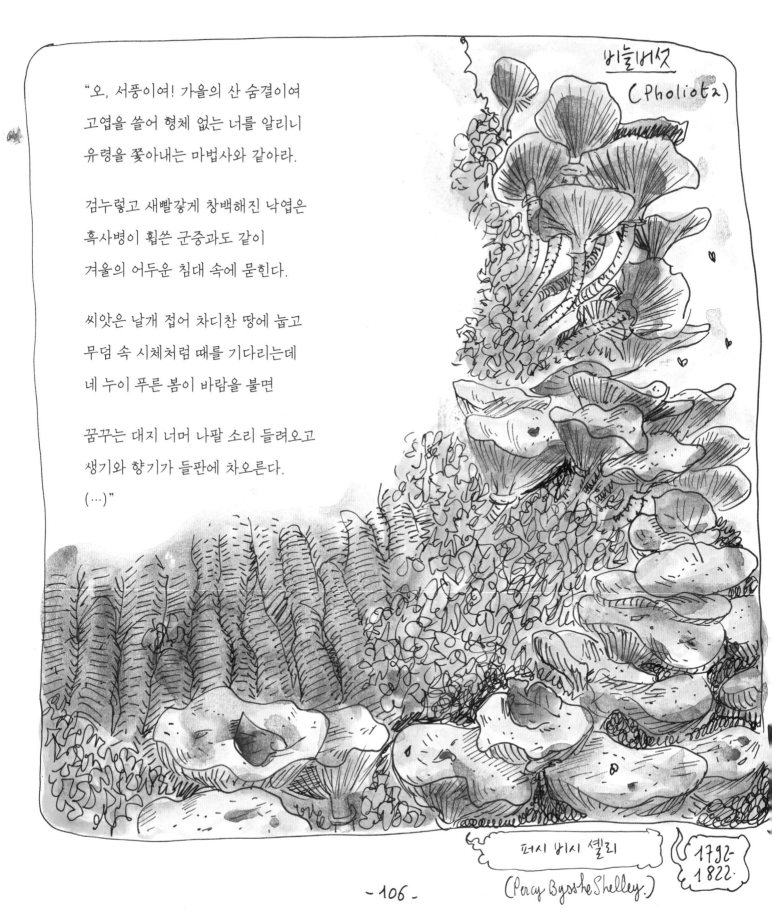

"오, 서풍이여! 가을의 산 숨결이여
고엽을 쓸어 형체 없는 너를 알리니
유령을 쫓아내는 마법사와 같아라.

검누렇고 새빨갛게 창백해진 낙엽은
흑사병이 휩쓴 군중과도 같이
겨울의 어두운 침대 속에 묻힌다.

씨앗은 날개 접어 차디찬 땅에 눕고
무덤 속 시체처럼 때를 기다리는데
네 누이 푸른 봄이 바람을 불면

꿈꾸는 대지 너머 나팔 소리 들려오고
생기와 향기가 들판에 차오른다.
(…)"

비늘버섯
(Pholiota)

퍼시 비시 셸리
(Percy Bysshe Shelley.)

1792-
1822.

NOVEMBRE
11월

황금빛 은행나무 (2000년 식재)
우리 방을 환하게 비춘다.

40냥 나무!*
1788년 기준으로는
25기니였다.

직 젊은데....
2억 9천만 년 전, 공룡보다 무려 4천만 년 앞선 등장!
그에 비하면 우리는 꼬꼬마들.

-107-

*프랑스에서는 '40냥 나무'라는 별명이 있다. 1788년 한 식물 애호가가
그루당 은화 40냥에 사들이며 프랑스에 정착했기 때문이다.
당시 은화 40냥은 영국 화폐단위로 25기니였다. -옮긴이

부이영 절벽. 그 밑엔 동굴이 하나 숨어 있다. 매들의 아지트다

내가 어릴 적에는 프랑스에 매가 거의 없었는데, 그중 눈에 띄는 한 쌍이 여기에 살았다.

팡

티

에

호수

-111-

바퀴
(물이 거의 말랐다...)

이 새들은 여름 막바지에 정원을 찾는다.

비가 와요, 비가 와요,
목동 아가씨~
서둘러 양떼를 들여야 해요~*

정원민달팽이
(Arion hortensis)

잘들 지냈어?

붉은민달팽이
(Arion rufus)

쟤는 뾰엄길이 생겼네.

큰민달팽이
(Limax maximus)

어흥!

민달팽이들은 첫 서리가 내리기 전에 몸을 숨긴다.

*〈비가 와요, 비가 와요, 목동 아가씨(Il pleut, il pleut, bergère)〉는 1780년대 희가극에서 부르다가 민중으로 퍼진 노래다. 그 후 여러 가수가 편곡해서 불렀다. -옮긴이

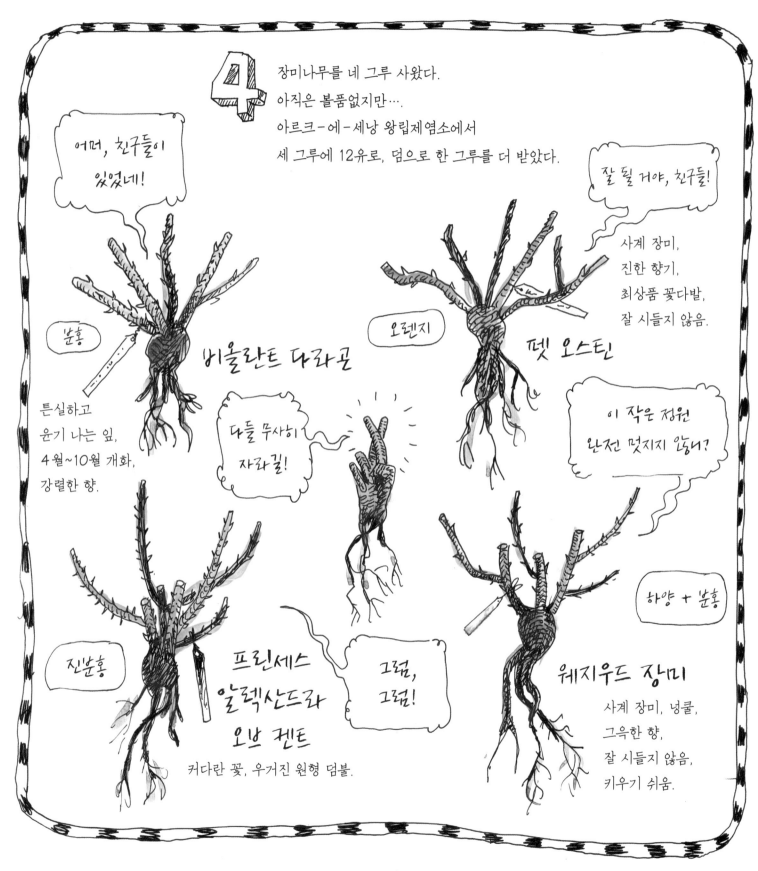

우리 집

거실에서 본

창밖

풍경!

강풍이 불던 날

클레르와 기욤이 잠든 사이···

2017년 11월 18일, 아테네움 와인 시음회 이튿날...

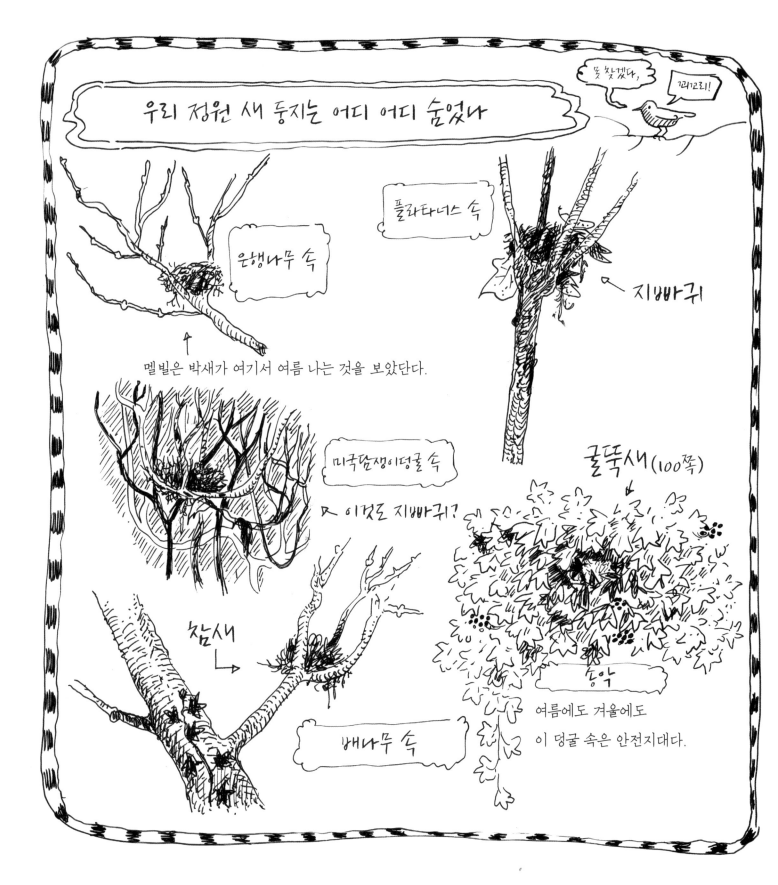

11월 20일 화요일 아침,
눈발이 흩뿌렸다.

나는 미움받이~

나는 미움받이~*

이럴 땐 이불 속이
최고다.

까치
(Pica pica) 너무 예쁘다!
가끔 남의 둥지를 훔치긴 해도 새들이 사라지는 게 까치 탓은 아니다.
까치가 들으면 억울할 소리! 미워하지 말자.

쌓일 눈은 아니었다.

*프랑스 국민가수 클로드 프랑수아(1939~1978)가 1974년에 발매한 〈미움받이(Le mal aimé)〉라는 곡. -옮긴이

오스피스 드 본*은 1443년에서 1457년 사이에 지어졌다.

영화 〈파리 대탈출(1966)〉을 본 내게는 여기가 동경의 장소였다.

*오스피스 드 본은 '본에 있는 병원' 이라는 뜻으로 가난하고 병약한 사람들을
돌보다가 지금은 자선 사업을 하는 재단이 되었다. -옮긴이

마리와 조지 집에서 뇌프-앙-옥수와 성 가는 길.

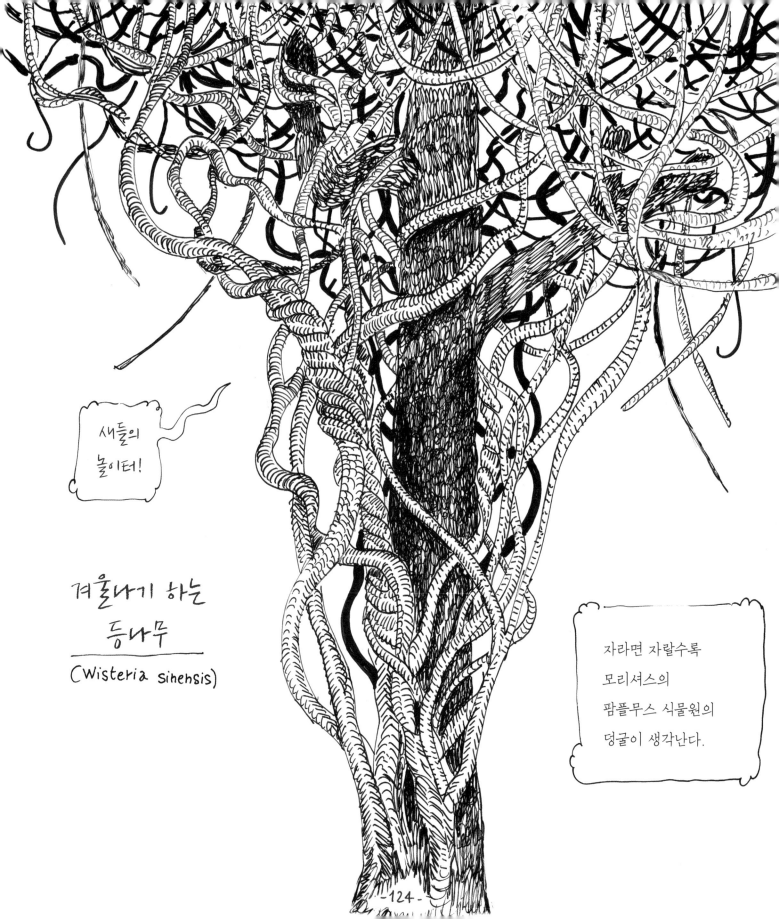

새들의
놀이터!

겨울나기 하는
등나무
(Wisteria sinensis)

자라면 자랄수록
모리셔스의
팜플무스 식물원의
덩굴이 생각난다.

상모솔새*
(Regulus regulus)

자, 우리를 좀 봐주세요!
PLTM!
Please Listen To Me!

4g.

4,6g.

이겻다!

상모솔새**
(Regulus ignicapilla)

이 작고 사랑스러운 새들도
귀염둥이 굴뚝새처럼 쉴 새 없이
가지를 누빈다.
깃털처럼 가벼워서 겨울 추위가
치명적일 수 있다.

*아시아와 국내에서 볼 수 있는 상모솔새로, 머리 위의 화려한 금빛 깃털이 특징이다. -옮긴이
**유럽과 아프리카에서 볼 수 있으며, 눈 위에 선명한 흰 줄무늬가 특징이다. -옮긴이

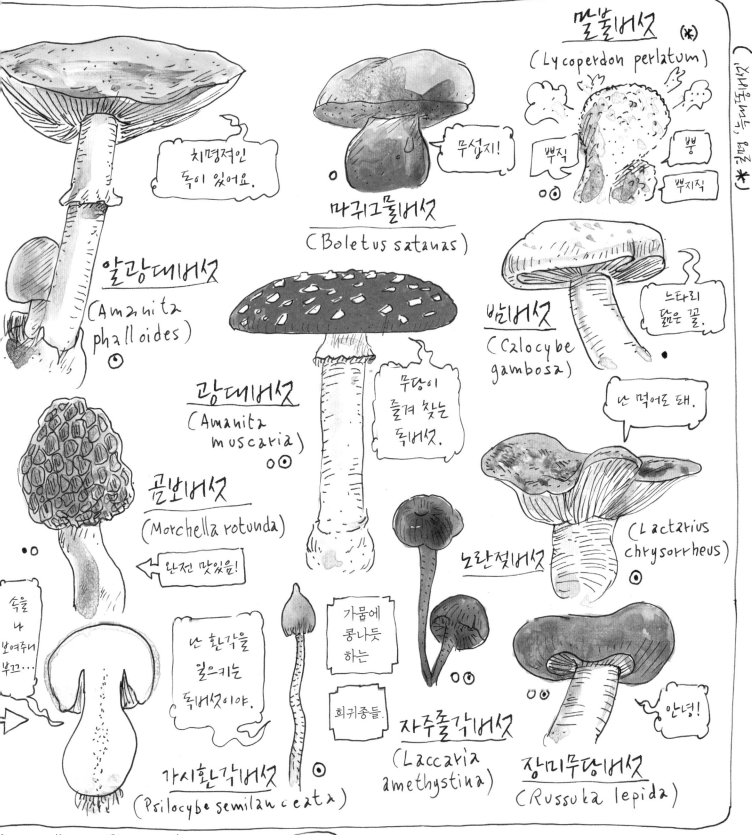

말불버섯 (*)
(Lycoperdon perlatum)

뿌직

뿡

뿌지직

무섭지!

치명적인
독이 있어요.

알광대버섯
(Amanita phalloides)

마귀그물버섯
(Boletus satanas)

느타리
닮은 꼴.

범버섯
(Calocybe gambosa)

광대버섯
(Amanita muscaria)

무당이
즐겨 찾는
독버섯.

난 먹어도 돼.

곰보버섯
(Morchella rotunda)

안전 맛있음!

속을
나
보여주니
부끄...

난 환각을
일으키는
독버섯이야.

가뭄에
콩나듯
하는

희귀종들.

노란젖버섯

(Lactarius chrysorrheus)

가시환각버섯
(Psilocybe semilanceata)

자주졸각버섯
(Laccaria amethystina)

안녕!

장미무당버섯
(Russula lepida)

올해는 가뭄 탓에 잘 보이지 않았다.

나무가 옷을 벗자 새들이 더욱 눈에 띈다.

어치
(Garrulus glandarius)

호주의 관광 명소 중에 '에어즈 록'이라 불리는 거대한 바위가 있다.

해 질 녘 코르통 언덕은 그곳만큼이나 아름답다!

앙상한 산사나무 위
경쾌한 상모솔새 한 마리.
얼음 조각이 바위에서 떨어질 때
그 휘파람 소리 영원하여라.
눈송이가 날개 위에 살포시 내리면
흰 눈 사이를 가벼이 누비며
노래를 부른다.

(✱✱) 로 이어짐.   ✱

✱ 앗, 나의 실수! 이 시는
제임스 그레이엄의 작품이다.

리버트 사우디
Robert Southey
(1774 - 1843)

샬롯 브론테에게 작가의 꿈을
포기하라 조언한 것으로 유명하다.

재능이 없군.
여성의 도리나 다하시오.

(✱✱) 묵은 겨울이여, 예민한 주름투성이 노인이여.

그 거친 수염은 사과나무를 덮은 기다란 이끼를 닮았네.

푸르러진 입술에 얼음물 한 방울이 뾰족한 콧날을 두드리고 우박과 눈발 사이로 음산하고
무겁게 외로이 걸어간다.

묵은 겨울이여, 장작이 가득한 난롯가 큼직한 안락의자에 앉아 크리스마스에 들뜬 아이들을
바라보는 모습으로 너를 그렸어야 했는데.

혹은 아이들에 둘러싸여 재미난 옛날얘기나 무서운 괴담을 들려주고 밤잠 설치게 만들 유령 이야기를
들려주다가 나른해진 불길을 다시금 깨우거나 시월의 빛나는 갈색 맥주를 삼키려 이따금씩 입술을
멈추는 모습으로 그렸어야 했는데.

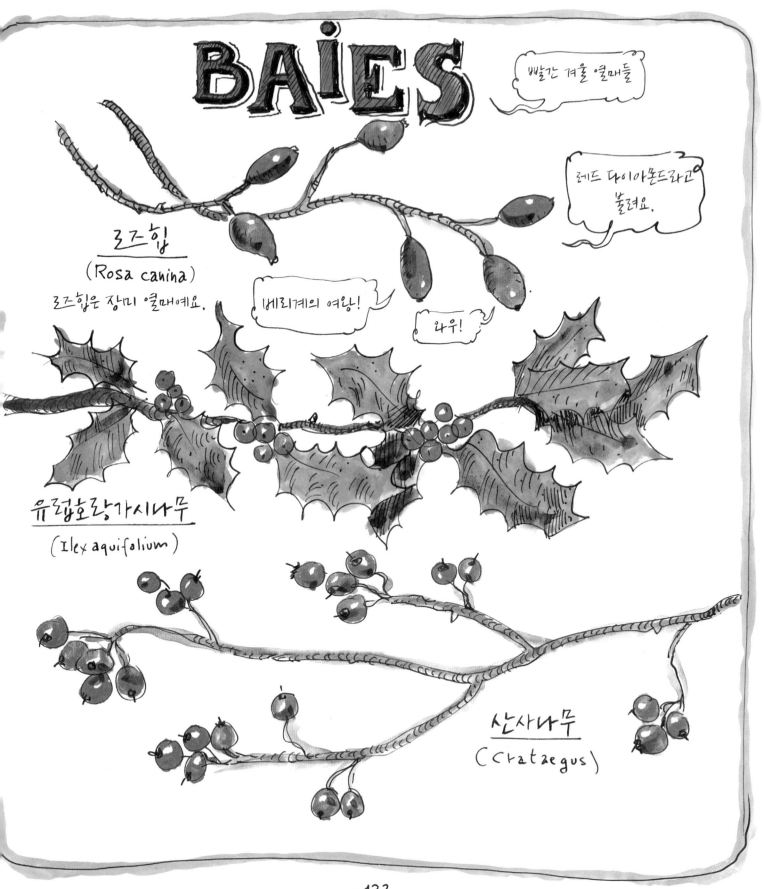

BAIES

빨간 겨울 열매들

레드 다이아몬드라고 불려요.

로즈힙
(Rosa canina)

로즈힙은 장미 열매예요.

베리계의 여왕!

와우!

유럽호랑가시나무
(Ilex aquifolium)

산사나무
(Crataegus)

이 새들의 노래가 궁금하면 183쪽 붐 편을 보세요.

노루가 사는 숲, 제르게이유 도로.

소리는 들리는데 만날 수 없는 새

올빼미
(Strix aluco)

JANVIER 2019

2019년 1월

새들을 설레게 하는 곡물들

등나무

점박이딱새
(Muscicapa striata)

올해는 얼마나
열리려나?

유다박태기나무
(Cercis siliquastrum)

스위트피

유럽나무발발이
(Certhia brachydactyla)

(나와 아내가 그렇듯 수컷이 암컷보다 작다….)

⚠️ 프랑스어로 '거미'는 소나 말의 우둔살을 가리키기도 해요.

정원이 너무 조용하다고?

세심한 사람은 눈치챘겠지만 장미 가지엔 벌써 꽃눈이 맺혔다.

특히 새로 심은 나무들부터!

3월에는 눈 없는 가지를 잘라 줘야지.

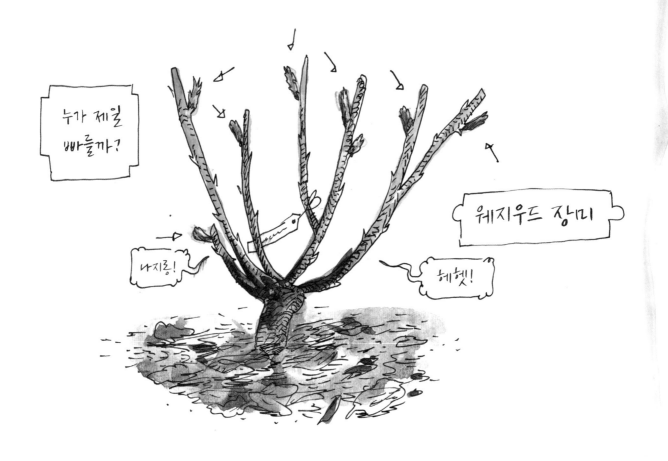

Les traces au sol du jardin...

정원에 남은 발자국들

여기에서 이륙!

폴짝폴짝
뛰어간 지빠귀

오줌, 똥, 열매 씨앗
(어떤 열매일까?)

여우

(밀라인 척하는) 고양이

포도밭에서 불 피우는 걸 금하는 이맘때, 연기가 오르는 걸 보면 걱정이 앞선다.

봄과 사비니-레-봉을 가르는 이 큰길에서 까마귀는

호두를 까고 토끼는 사력을 다해 달린다.

사비니-레-본 성 안뜰...

맨 공작부인이 첼라마레 음모에 가담했다는 이유로 갇혀
살던 곳이 바로 여기다. 스페인이 펠리프 도를레앙의
프랑스 섭정권을 빼앗으려고 꾸민 음모였다.*
미지외 후작(Anthelme de Migieu,
1723-1788)이 이슬람 예술품과 고문서를
수집하던 곳이기도 하다.
18세기 이슬람 예술품 수집으로는
최대 규모일 것이다.
그보다 훨씬 앞서, 샤를 르 테메레르가
사망한 1477년, 성은 완전히
'무장해제'된 적이 있다.
사비니 영주가
마리 드 부르고뉴 편에
섰기 때문이었다.

* 알렉상드르 뒤마의 작품 〈아르망탈의 기사(1842)〉 참고.

FÉVRIER

2월

콩!

2019년 2월 4일, 고요한 겨울 정원.
지빠귀 암컷 한 마리가 창에 머리를 박고
풀밭으로 떨어졌다.

다행히 무사히
날아갔어요.

하늘이 빙글빙글
돌았지만···

문을 열고 나가 지빠귀를 보듬었다.
가볍고 보드랍고 따뜻했다.
작은 새는 겁먹은 두 눈을 동그랗게 떴고
나는 가만히 쓰다듬다가 물을 떠서
부리를 적셔 주었다.
그러자 내 손에 똥을 쌌다.
빨간 열매를 먹었었나 보다···.

밀라는 변장에 능한 들냥이 습성을 그대로 지니고 있지만 사냥에는 꽝이다. 차라리 다행이다.

스라소니의
색깔
↓

이래 봬도 가끔은
쥐를 잡는다고!

스코티시폴드

접혀 있는 작은 귀.
그리기 어렵다.

라쿤의 꼬리
↘

'털 뽑히고 내장 털리고 ✲
참수 당한' 새는 85쪽으로…

M자형 이마

← 수리부엉이의 귀

↑
앙고라토끼의 털

쥐를 먹긴 한다.
토해내서 그렇지.

밀라는 자연 관찰을 좋아한다.

무슨 소리!

햇빛도
좋아한다.

폭신한 쿠션이

우아한 아가씨는
토하지 않아.

아내의
캐시미어
조끼같다.

✲ 〈OSS 117〉*1탄의
유명한 대사

*1949년에 쓰인 스파이 이야기를 다룬 프랑스 소설 〈OSS 117〉 시리즈 중
일부를 영화화한 작품. -옮긴이

재, 이카루스
아냐?

윙윙

앵앵

햇살이 어쩌나 따사롭던지 꿀벌들이 깨어나 윙윙거리고 있다.

새 모이 챙기기, 찬성? 반대?

투표해 봅시다.

오늘 밤은
영하 6도,
낮엔 20도.

찬성!

찬성!

찬성!

날마다 기온이 영하로 떨어지는 요즘,
모이 주머니에 대한 새들의
빈응이 뜨겁다.
서재 창문으로 지켜보았다.

박새보다 소심해서
차례를 기다려요.

쳐다보지 마세요.
겁쟁이라고요.

청설모
(Sciurus volgaris)

개암나무에 사는
손님이 창가에
종종 놀러 온다.
그러다 깜짝 놀라
얼음이 되어버리거나
부리나케 도망친다.
어찌나 겁을 먹었던지
오줌을 싼 적도 있다.
바로 내 머리 위에서…!

불쌍한 영국인들… 영국에선 미국에서 건너온 캐롤라이나회색다람쥐(Sciurus carolinensis)가 청설모를

그 사이...

또 다른 작은
포유류가 동굴
(실은 우리 형 창고)
에서 겨울을 났다.
여름이면
사비니 성당 처마
밑에 여든 마리는
족히 모인다.

생쥐귀박쥐
(Myotis myotis)
봄에 다시 만나요...*

귀가 엄청 크다.

그게 다 잘 듣기 위해서예요.

쫓아냈다. 스코틀랜드에는 아직 　 남아 있다고 한다.

*196~197쪽을 보세요.

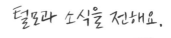 털모과 소식을 전해요.

101쪽과 142쪽을 보세요.

가만 보자, 누굴
닮은 거 같은데···

?!

거울 보는 기분?

난 먼 나라에서
왔단다,
꼬맹아.

그곳은 뜨겁고
처절했지.

지름→
3cm

열매는 점점 쪼그라들어 쭈그렁바가지가 되었다.

가지에 대롱대롱 매달린 채,

비바람과 눈, 햇빛과 추위를 견뎌야 한다.

그러자 문득 '싼사'*가 생각났다.

*싼사(tsantsa, shrunken head) 남미 열대 우림에 살고 있는 슈아족 등
일부 원주민들은 적의 우두머리를 잡아 머리를 잘라낸 후 수축시켜 '작은 모형'으로
만드는 풍습이 있었는데, 이러한 의식으로 만들어진 머리를 일컫는다. -옮긴이

 히바로족(또는 슈아족) 풍의 이 '수축 머리'는 20여 년 전에 스테파니 샤르동에게 주문 제작한
짝퉁 '싼사'다. 점토로 만든 머리통에 피에르-엘로이의 형인 뤽-레이몬드의 말에서 자른 꼬리털을
머리카락처럼 덧댔다. 이 모형의 모델이 된 진품은 리옹 박물관에 있다.

계절은 돌고 돌아, 어느덧 일 년이 지났다!

올해는 설강화가 봄은방울수선화를 이겼다!

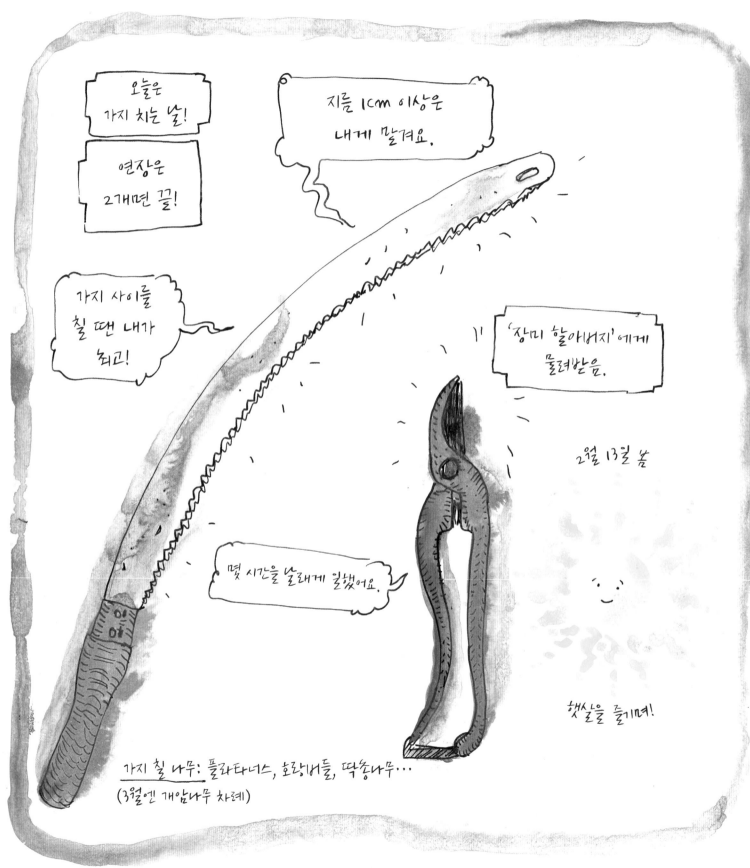

- 12세기에는 시토 수도승들의 양조장이었다.

- 16세기에는 고치고 넓혀서 영주의 저택이 되었다.

- 프랑스 대혁명 후, 1790년에는 포도원과 함께 몰수되었고

- 여러 사람을 거치다 19세기에는 그냥 방치되었다.

- 그런 성을 되살린 것은 1889년 레옹스 보케인데

- 지금은 타스트뱅 기사회*가 활발하게 운영하고 있다. 그중 한 명인 아르노 오르셀이 관리자다.

*부르고뉴 와인과 미식 등을 홍보하고 지역 발전을 도모하기 위해 1934년에 세워진 조합이다. -옮긴이

그리고 또···

Le château du Clos de Vougeot!

클로 드 부조 성

소리는 들려도 볼 수 없는 새!

2019년 2월 18일 밤

끼유~

끼유~

스마일!

마이 페이버릿! ♥

가면올빼미
(Tyto alba)

'유령과 망자의 새'로
알려지면서 중세에는
이단의 상징이었다.
내가 어릴 적만 해도 액운을
물리쳐 준다는 속설 때문에

올빼미를 잡아서
곳간 문에 걸어
두곤 했다.

올해 2등은 앵초였다.

밤엔
영하 5도.

낮에 그늘에선
15도.

오후에 해가 들면
20도 이상.

어느 장단에 맞출지.

유포르비아 카라키아스
(Euphorbia characias)

덜덜

앵초가 첫 꽃을 피우는 사이,
세이지와 유포르비아는
간밤의 추위에 꼬부라지고
서리를 맞아 하얗게 빛났다.

세이지
(Salvia officinalis)

유포르비아는 크리스틴과 에르베 부부에게, 세이지는 까마득히 오래 전에 키누에게 받은 선물이다.

mars

빗방울이 호드득!

3월 1일

겨울철 냉해를 입어 매년 '곤죽'이 되어 버리던
식물들이 올해는 생기가 넘친다.
15년 만에 처음이다.

고사리들이
고개를 높이 들었고

마음 급한 새순은
기지개를 켠다.

멧노랑나비가
벌써 등장.

속흙이 말라 있다.

고사리처럼 섬세하진 않아도 고불고불 예쁘게 핀 아칸서스 이파리.
힘이 있고 윤기가 난다. 한겨울 추위에도 얼지 않았구나.

그 사이, 근처 풀밭에서는...

오, 내 사랑!

오, 우리 자기!

봄은 멀리 있지 않았다.

우리 집 닭들은 인도나 중국, 인도네시아, 인도차이나, 또는 자바 섬이나 수마트라 섬에서 왔다. 인간이 닭을 사육한 지는 6천 년쯤 되었다. 카이사르가 갈리아에 도착했을 때 이미 기르고 있었다는 이 닭의 이름은 바로 당닭(gallus gallus)다.

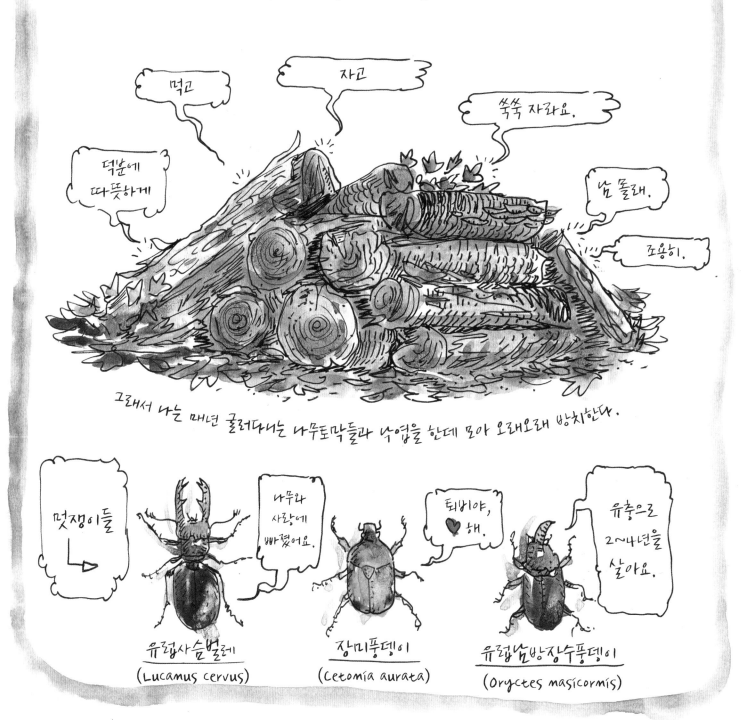

∿ 고목에 사는 소시민들 ∿

죽은 나무가 산 곤충을 먹여 살리는 가슴 뭉클한 현장!

먹고

자고

쑥쑥 자라요.

덕분에 따뜻하게

남 몰래.

조용히.

그래서 나는 매년 굴러다니는 나무토막들과 낙엽을 한데 모아 오래오래 방치한다.

멋쟁이들
└▷

나무와 사랑에 빠졌어요.

퇴비야, ♥ 해.

유충으로 2~4년을 살아요.

유럽사슴벌레
(Lucanus cervus)

장미풍뎅이
(Cetonia aurata)

유럽남방장수풍뎅이
(Oryctes nasicornis)

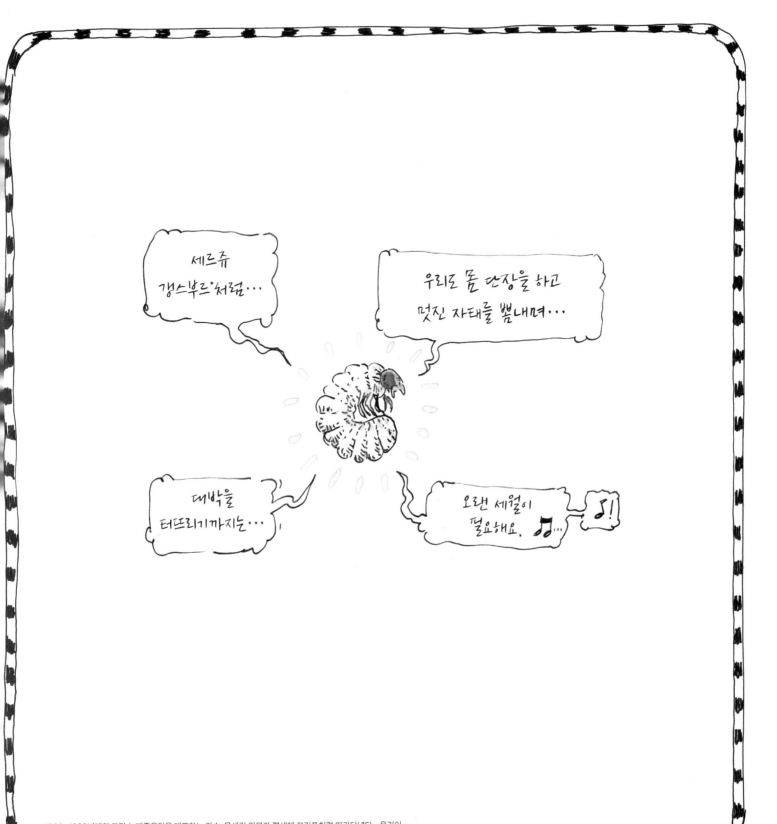

비 내리는 밤 10시 34분에 만났다.

팔마테뉴트 암컷
(Lissotriton helveticus)

산책이 아니라

사냥하는 중!

바로 주방 문 앞에서 기어가고 있었다.

잠시 문을 열어 두었더니 도마뱀이 그새 부엌으로 들어왔다.
가끔 이렇게 (아마도) 온기에 이끌려 들어왔다가 프라이팬 아래에서
납작하게 말라 박제가 된 채로 발견되곤 한다. 애들 장난감 마냥….
그럴 때면 왠지 미안하고 슬퍼진다.

서식지가 어디일까? 100미터 떨어진 강일까? 아니면 이웃집 연못? 어디가 되었든, 2미터 높이의 돌담

을 넘어 두 번이나 올라와야 했다!

흰가슴산달
(Martes foina)

앗…

바위담비라고도 해요. 새벽 1시 반에도 뛰어다니죠.

자동차 전조등에 어렴풋이 비친 산달이 폴짝 뛰어오르더니 울타리가 둘러진 도로의 갓길을 따라 움직였다.

내가 멈추자 산달도 멈췄다. 바짝 긴장한 표정에 호리호리하고 긴 목이 돋보였다.

마법 같은 순간!

흰가슴산달이 정원에 놀러 온다는 것을 알고 있었다. 똥똥 똥이 밀 선봤기 때문이다.

15년인가 20년 전 어느 날, 이웃집에서 설치한 늑대 잡이용 녹슨 강철 덫에 산달이 한 마리 걸리고 말았다. 산달은 벗어나려고 자기 발을 물어뜯고 있었다. 이웃집 아저씨는 내가 보는 앞에서 쇠막대로 산달을 때려잡았다. 산딸기처럼 붉은 피가 쏟아졌다. 스트레스를 많이 받아 산화된 피였다….

그 아저씨는 '이런 젠장!' 소리를 지르며 자기 집 닭과 달걀들을 확인했다. 이제는 그 양반도 너무 나이가 들어 더 이상 덫을 놓지 않는다. 하지만 그 시절 나는 그 덫에 고양이까지 한 마리 잃었다….

흰가슴산돼에게 천적이 없으니 속수무책···

사냥의 생존자들.

밤에는 휴전 중이지만···

아직 어린 수사슴은 조만간 무리를 떠나 수컷 떼를 꾸리게 될 것이다.

나무에서 배가 떨어져 상하게 되면 녀석들이 몰려든다는 것을 알고 있다.

때론 구근을 파헤쳐 놓는다는 것도, 작은 흙더미를 만드는 것도,

나무뿌리와 덩이줄기가 주관심사라는 것도 잘 안다.

그러다 밀라와 마주칠지도 모른다.

그 앞에서 도망치는 데 성공하거나 실패할 수도 있겠지만, 어쩌겠는가!

그 모든 것이 정원에서의 삶인 것을.

그리고 그 모든 것이 들쥐의 숙명인 것을!

아마도 이건 튤립인 듯.

세상엔 화산이 1500개나 된다던데, 여기 하나 더 추가요!

내가 궁금하면 172쪽을 보세요.

나도산마늘 싹

미래의 오니소갈룸 움벨라툼

높은 곳에 올라야만 현기증이 나는 건 아니다. 때로 시간도 아득하게 느껴질 때가 있다.

오뒤에 동굴

3만 5천 년 전
사람이 살던 곳.

아마도 네안데르탈인과
사피엔스였을 것이다.

부싯돌 화구가 몇 개 발견되었다.

부이영 북동쪽, 메로빙거 왕가 무덤 근처에서···

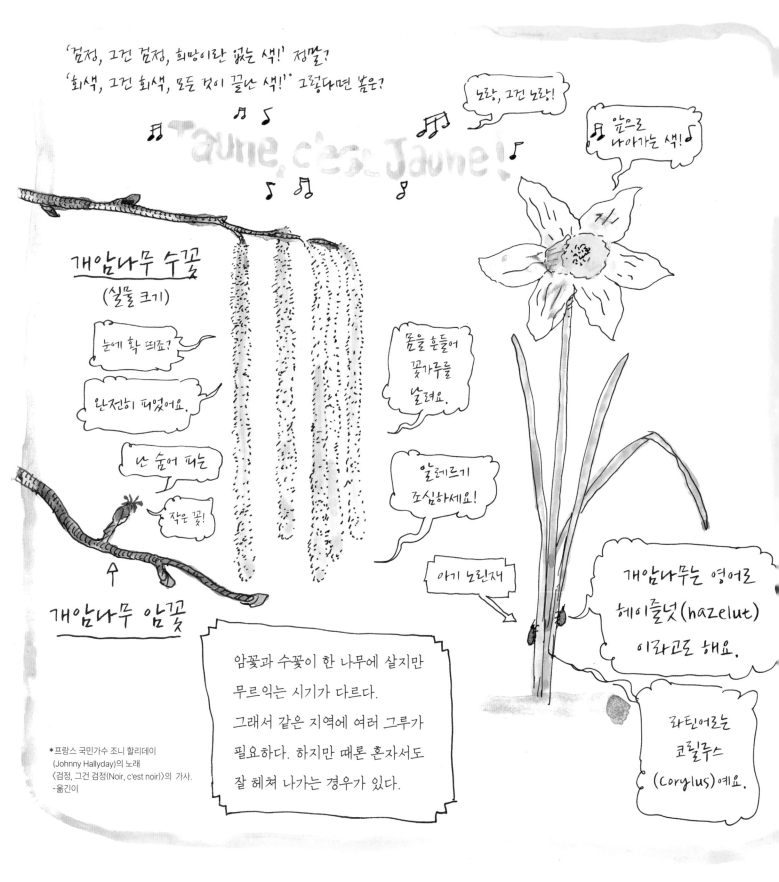

'검정, 그건 검정, 희망이란 없는 색!' 정말?
'회색, 그건 회색, 모든 것이 끝난 색!'* 그렇다면 노랑은?

노랑, 그건 노랑!

앞으로 나아가는 색!

개암나무 수꽃
(실물 크기)

눈에 확 띄죠?

완전히 피었어요.

난 숨어 피는

작은 꽃!

몸을 흔들어 꽃가루를 날려요.

알레르기 조심하세요!

아기 노린재

개암나무 암꽃

암꽃과 수꽃이 한 나무에 살지만
무르익는 시기가 다르다.
그래서 같은 지역에 여러 그루가
필요하다. 하지만 때론 혼자서도
잘 헤쳐 나가는 경우가 있다.

개암나무는 영어로
헤이즐넛(hazelut)
이라고로 해요.

라틴어로는
코릴루스
(corylus)예요.

*프랑스 국민가수 조니 할리데이
(Johnny Hallyday)의 노래
〈검정, 그건 검정(Noir, c'est noir)〉의 가사.
-옮긴이

유럽물밭쥐
(Arvicola amphibius)

유럽물밭쥐 또는 들쥐

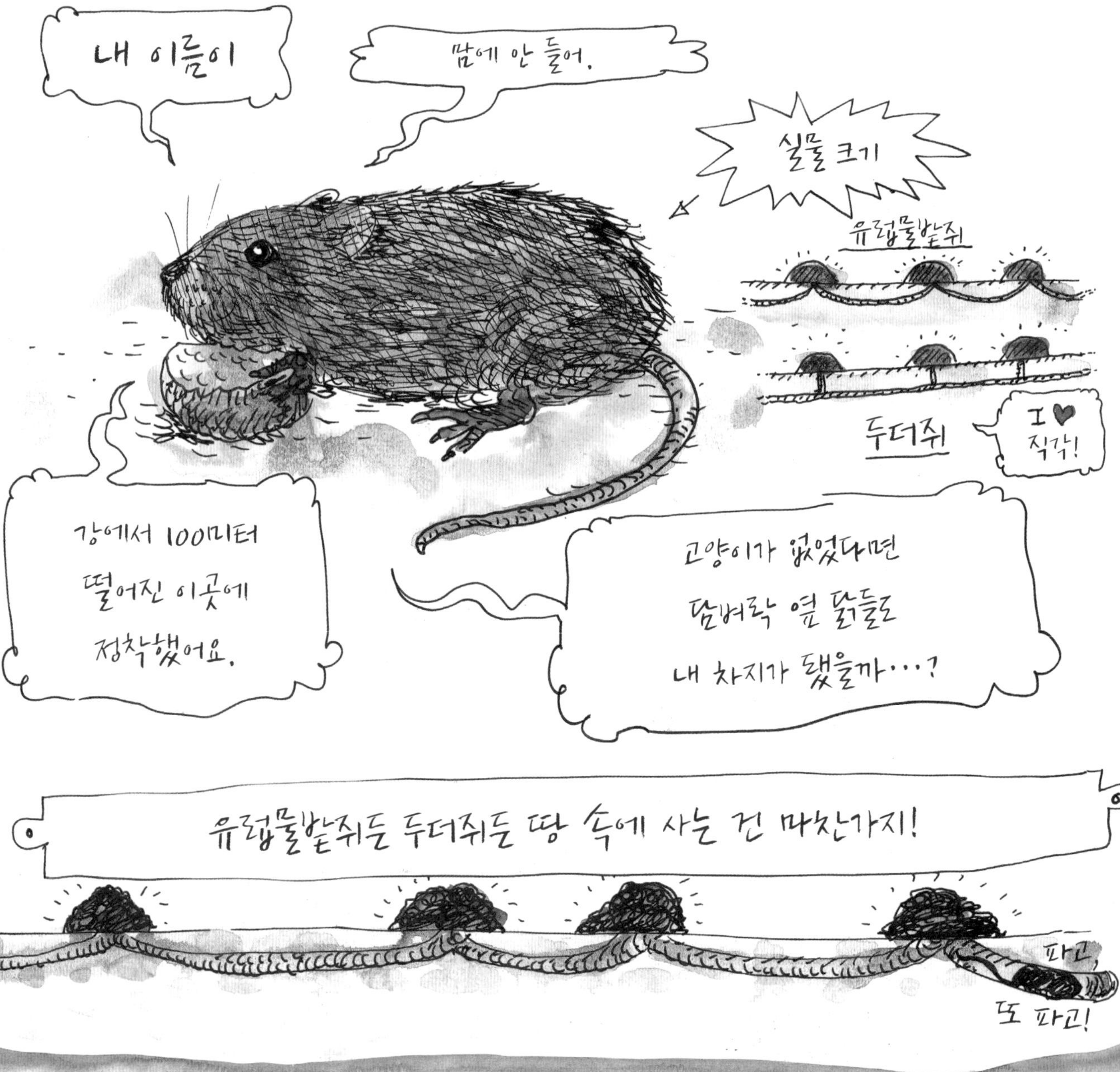

내 이름이

맘에 안 들어.

실물 크기

유럽물밭쥐

두더쥐

I ♥ 직각!

강에서 100미터 떨어진 이곳에 정착했어요.

고양이가 없었다면 담벼락 옆 덤불도 내 차지가 됐을까…?

유럽물밭쥐든 두더쥐든 땅 속에 사는 건 마찬가지!

파고,

또 파고!

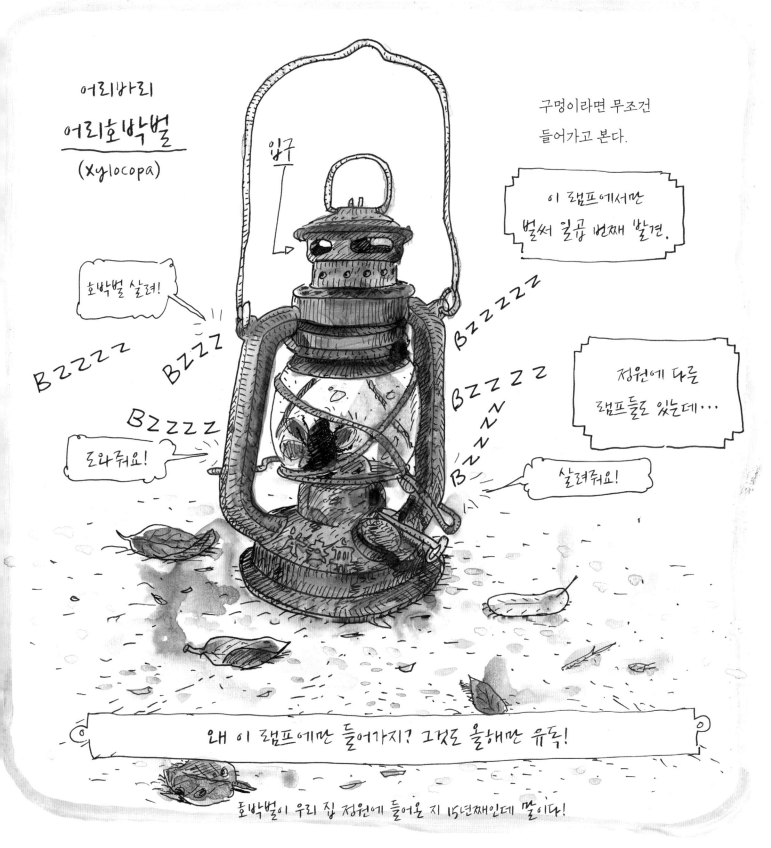

정원 속 소인국 릴리팟 마을

(잘 봐야 보인다. 자칫하면 발밑에서 바스라진다.)

허리를 숙이면 시들거나 썩거나 얼거나 무른 식물들을 부지런히 소화해 주는
새끼손톱만 한 달팽이들이 보인다.
지렁이처럼 이들도 정원의 청소부이자 퇴비 살포기다.

정원에 달팽이 수백(수천?) 마리가 살지만 모두 위기에 처해 있다. 달팽이들은 서식지에서 겨우
몇 데시미터 반경 안에서 살아가는데, 온난화로 인해 등온선이 매년 3~4km씩 밀리기 때문이다.
온도에 민감한 녀석들의 앞날이 걱정이다.

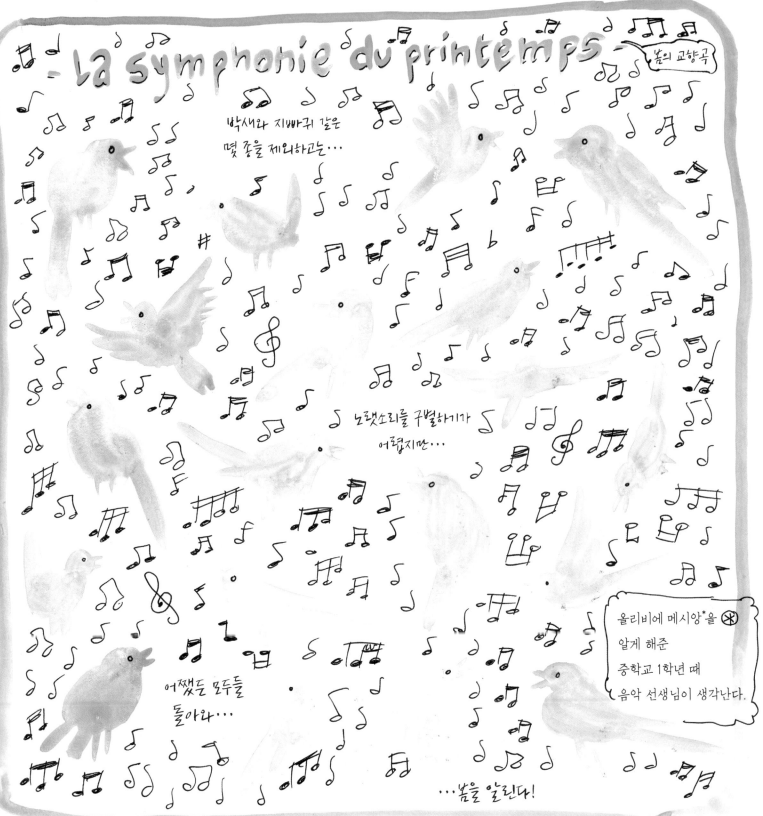

왜 식물들은 우리 눈에 초록색으로 보일까?

('우리 눈'이라 함은 사람의 눈을 말한다. 동물들 눈에는 대개 다르게 보인다.)

그건 각각의 화합물이 빛의 특정 파장만 흡수하기 때문이다.

엽록소는 파랑과 빨강을 흡수하고 녹색을 반사한다.

가을이면 엽록소는 (여름에는 존재하지 않던) 카로틴에게 자리를 내어준다.

그래서 안토시아닌이 섞인 이파리들이 울긋불긋해지고

이른바 사색의 계절이 시작된다.

시간은 흐르고 흘러, 우박이 내리기도 하고···

해가 뜨고 밤이 오고··· 이제는 3월이다!

붓꽃

금낭화

작약

아룸 마쿨라툼

윌리엄 셰익스피어
William Shakespeare
(1564-1616)

제비도 날아오기 전에 피어
삼월의 미풍을 황홀케 하는 수선화여!

소개가 필요 없는 시인이자 극작가.
음, 음···

소개 대신 시를 읊어 보죠.

이건 영국 특유의 아름다운 초록색!

사랑하는 연인과 함께 골짜기의 수선화가
모습을 드러내면 그제야 따스한 계절이 찾아오고
핏빛 겨울은 사그라진다.

스트랫퍼드 어폰 에이번에 있는 그의 묘지는
참 아름다웠다···. (1994년 방문)

'핏빛 겨울'이라고요?

올해 수선화는 한참동안 꽃을 피웠다.
제비꽃에서는 웬일인지 향기가 났다.
이유가 뭘까?

전쟁이 났나요?

-177-

옆집 풀밭에서 이 새를 처음 보았다. 이 녀석은 거위 납치범을 보았을까?

이웃집 할아버지의 산딸기나무를 관리해 주는 정원사 말에 따르면 들고양이 한 마리가 강변의 덤불숲으로 거위를 끌고 갔다고 해요.

붉은등때까치
(Lanius collurio)

하지만 진범은 정원사예요!

유럽살쾡
(Felis silvestris silvestris)

난 억울해요.

덤불숲이 가까운 건 사실이지만 들냥이가 여기까지 왔다고?

붉은등때까치는 큰 곤충이나 도마뱀, 아기 새들을 꼬챙이처럼 나뭇가지에 꿰어 두었다가 배가 고플 때 먹는다. 우리 집에 있던 뮈리엘과 피에르가 저녁 무렵 집으로 돌아가다가 부이영 마을 근처에서 큰 들고양이 한 마리를 보았다고 한다. 일 주일쯤 된 일이다.

봄이 가져온 작은 기적!

저리 가!

* 나도산마늘 이파리가
  작년에 떨어진
  등나무 낙엽을 뚫고 올라왔다.

  - 봄이 가을을 무찔렀다.

  - 미래가 과거를 극복했다.

지렁이 똥탑

놔줘야 가지!

*
15~16세기
부르고뉴에는 아직
큰곰(Ursus arctos)이
살고 있었다.
드라큘라는 싫어했던
마늘을 불곰은
좋아했다는 소문이 있다.*

화분에서 자라는 식물에겐
내 똥이 최고의 영양제지!

자, 선물이야!

*나도산마늘은 곰이 먹었다는 전설 때문에 곰마늘이라고도 한다. -옮긴이

정남향에 뿌리내린 작약.
눈으로도 자라는 게
보일 정도다.

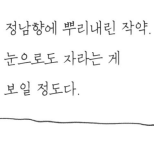

쑥쑥!

쑥쑥!

힘내!

불과 며칠 새 일어난 일이다···

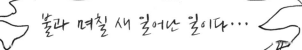

<이웃집 토토로>의 한 장면 같다.

꽃봉오리를 쑥쑥!

꽃대를 쑥쑥!

영차!

영차!

우리 집 식익은 선물 역을 따라
백 년이 넘는 세월 동안
충실하게 꿈을 피웠다.

겨우 5~6일 후 이렇게 자랐다···

매년
그래왔듯,
작약과
함께 피어날
거예요.

붓꽃이 하늘을 향해 꽃봉오리를 올리는데도
백합은 아직도 나선 모양 그대로다.

사이좋게!

이렇게 작은 백합 포기는
매년 잎만 무성하다.

구근을 너무
깊이 심으면
꽃이
잘 안 피어요.

이렇게 크고 넓은
포기에서만 매년 꽃이 핀다.

구근도 햇볕을
쬐어야 하니까요.

빙글빙글… 아, 나도 이젠 현기증이 난다고…

새들의 노래 자랑

검은머리꾀꼬리가 볼륨을 최대로 높였다.

(43쪽과 134쪽을 보세요.)

새들은 은행나무 가지를 좋아한다.

지빠귀가 깜짝 놀랐는지 바라보고 있다.

노래 좋은데 음표를 따놓을까?

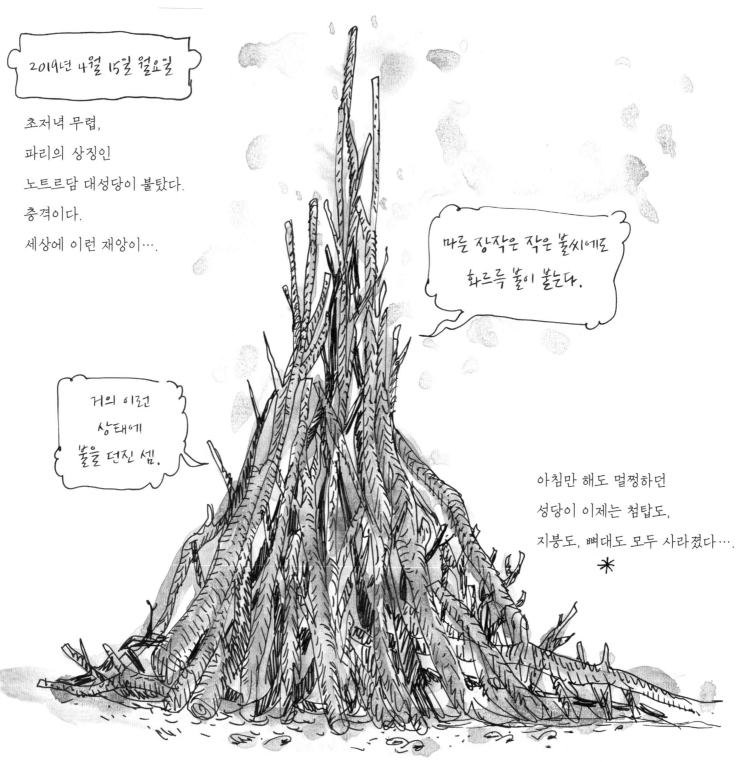

2019년 4월 15일 월요일

초저녁 무렵,
파리의 상징인
노트르담 대성당이 불탔다.
충격이다.
세상에 이런 재앙이….

마른 장작은 작은 불씨에도
화르륵 불이 붙는다.

거의 이런
상태에
불을 던진 셈.

아침만 해도 멀쩡하던
성당이 이제는 첨탑도,
지붕도, 뼈대도 모두 사라졌다….
＊

＊노트르담 대성당의 지붕은 '숲'이라고도 부른다.

유럽은방울꽃
(Convallaria
majalis)

이 고개를 내밀었다.

나는야,
행운의 상징!
하지만 몇 시간
안에 사람을
죽일 수도 있어요.*

*독성이 있어 다량을 섭취하면
사망에 이를 수 있다. —옮긴이

대단하죠?

지난 2월 몸살을 앓았던(159쪽을 보세요)
유포르비아 카라키아스에 생기가 넘친다!

가장 큰 송이의 수국이 완전히 얼었다···. 은행나무 새순도 함께. 설마 죽은 건 아니겠지?

꽃이 예년보다 훨씬 늦게 피게 생겼다.

서양낭비둘기 한 쌍이 대나무 숲을 이리저리 날며 똥을 쌌다. 집을 지으려는 걸까?

떨어진 걸 줍지 않고 개암나무의
마른 가지를 꺾어 왔다.

그 모습이 당돌해
보이기까지 했다.
대나무가 바람에
심하게 흔들렸다.

튼튼하게
지어야지!

사상
최소!

2000년에 여기 왔으니까
25~30살쯤 됐어요.

우리 집 은행은 수나무인데
꽃이 여러 송이 피더니
이제는 만개했다!

황홀하게 아름다운 튤립들!
몇 안 되는 아르크-에-세낭 왕립제염소의 꽃 시장 출신이다.

좀 과장인데?

아름다운 건 인정!

살짝 벌어졌던 봉오리도
시간이 지나니
작약처럼 활짝 피었다.

발칸작약의 귀환

3...

4월 21일 부활절 휴일,
한나절 만에 꽃잎이 열렸다.

2...

1, 땡!

호박벌들이 작은 세상을 휘젓고 다닌다.

18, 25, 41, 85, 86, 90쪽을 보세요.

신입생들

5월 말, 일본 여행을 준비하며…

잎 모양도 다 달라!

단풍나무 '샤이나'
(Acer Palmatum Shaina)

단풍나무 '데쇼조'와 친구예요.

단풍나무 '오렌지드림'
(Acer Palmatum Orange Dream)

잎 색깔이 달라요.

봄엔 이렇게 노랑과 주황으로 물들어요.

단풍놀이 소식은 14쪽과 205쪽을 보세요.

루이즈 드 빌모랭
Louise de Vilmorin
(1902-1969)
애칭은 '룰루'.
시인이자
소설가.

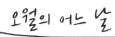

오월의 어느 날

아직은 잿빛으로 덮인 오늘
구름이 가린 오월 어느 날
바람 한 점 없는 이때
우리는 비밀스레 함께하고
우리의 보물은 주변을 맴도네.

시집 《유희의 약혼식
(fiançailles pour rire)》 1939

빌모랭의 집안은 정원과 화초 분야에
지대한 공헌을 한 가문이다.*

*가문의 이름 '빌모랭'의 영어식 발음인 '빌모린'은 세계적인 종자회사다.
씨앗 장사를 하던 클로드 제오프로이와 그의 남편이자 루이15세 왕실의 식물학자였던
피에르 앙드리외가 1743년 설립한 이후 그 후손이 가업을 물려받아
오늘날까지 이어지고 있다. -옮긴이

루이즈 드 빌모랭은 《어린 왕자》의 작가, 앙투안 드 생텍쥐페리의 약혼녀였다.
하지만 그녀의 부모는 위험천만한 삶을 사는(생텍쥐페리는 이미 비행기 사고를 한 번 겪은 후였다)
빈털터리 작가를 달가워하지 않았고 결국 약혼은 파경을 맞는다.
(생텍쥐페리의 책 《남방 우편기》 속 '주느비에브'가 루이즈 드 빌모랭이다) 이어 두 번의 이혼 후,
그녀는 젊은 시절 또 다른 연인이던 앙드레 말로의 품에서 세상을 떠난다.

밤나방과 나방 중에는
해충이 많아요.

밤나방
(Noctua janthina)

사각

사각

사각

밤나방 애벌레가 붓꽃 봉오리를 갉아먹는다.
그냥 내버려두기로 했다.

녀석의 식탐을 테스트해 볼 참이다. 내 인내심도 함께.

오~ 오월! MAI...

나한테 못 생겼다고 하는
사람은 한 명도 못 봤어요.

생쥐귀박쥐는 날개를 펴면 35~40cm 크기이고, 아주 예쁜 얼굴을 가졌다.

거울아,
거울아,

유럽집박쥐

(pipistrellus
pipistrellus)
몸집이 생쥐귀박쥐의
절반 크기!

세상에서 누가
제일 예쁘지?

이 글을 쓰는 지금도 회양목을 갉아먹고 있는
명나방의 유일한 천적은 바로 박쥐다.

＊153쪽을 보세요.

쌀쌀한 날씨에도 불구하고...

21H: 밤 9시, 생쥐귀박쥐의 활동 시간! 비밀 동굴에서 겨울을 난 박쥐들이 이번에는 여름을 날 장소로 돌아왔다 (153쪽 참고).

옛날에는 수백, 수천 마리쯤 되었다. 아버지와 형을 따라 지붕 수리를 돕기 위해 왔을 때 말라붙은 똥 카페트의 높이가 20cm는 되었으니까. ✳

80 생쥐귀박쥐 80마리가 성당에서 아름다운 계절을 만끽하고 있다.

난 소중하니까요!

박쥐들의 출입구

✳ 이 시절에는 당연히 곤충도 수백만 마리쯤 되었다. 사비니-레-볼 성당은 731년 사라센 공격으로 무너졌다가 로마...

작은 노랑색: 갈색테달팽이 (Cepaea memoralis). 작은 갈색: 갈색정원달팽이 (Helix aspersa aspersa).
큰 주황색: 붉은민달팽이 (Arion rufus).

✛ 188쪽을 보세요.

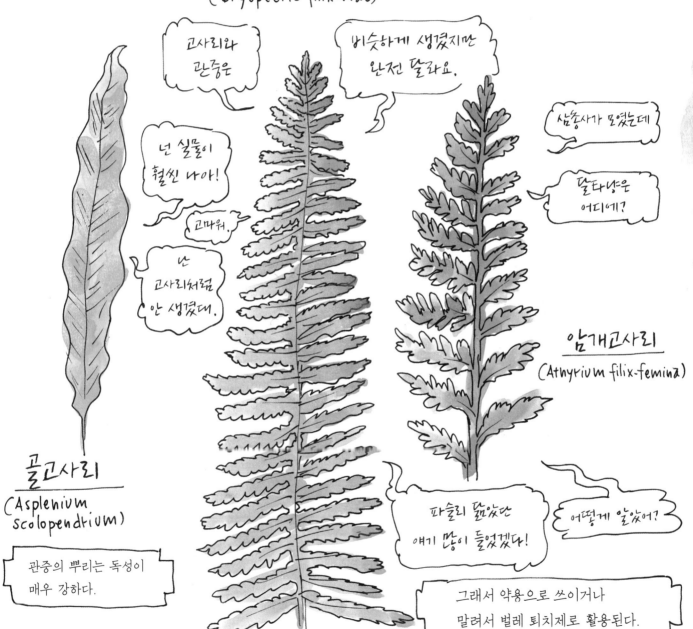

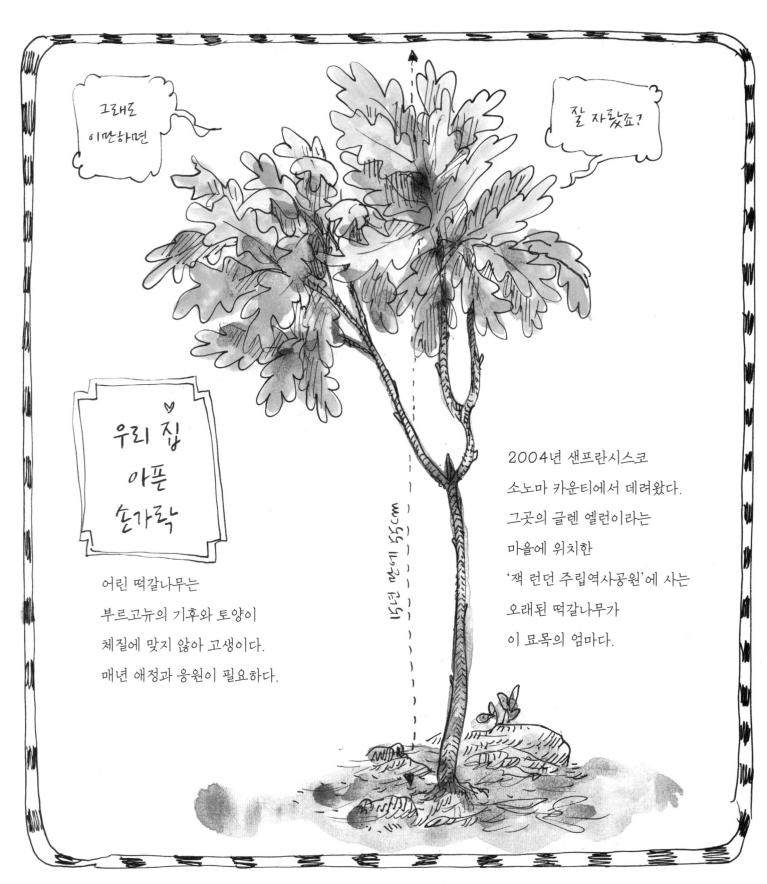

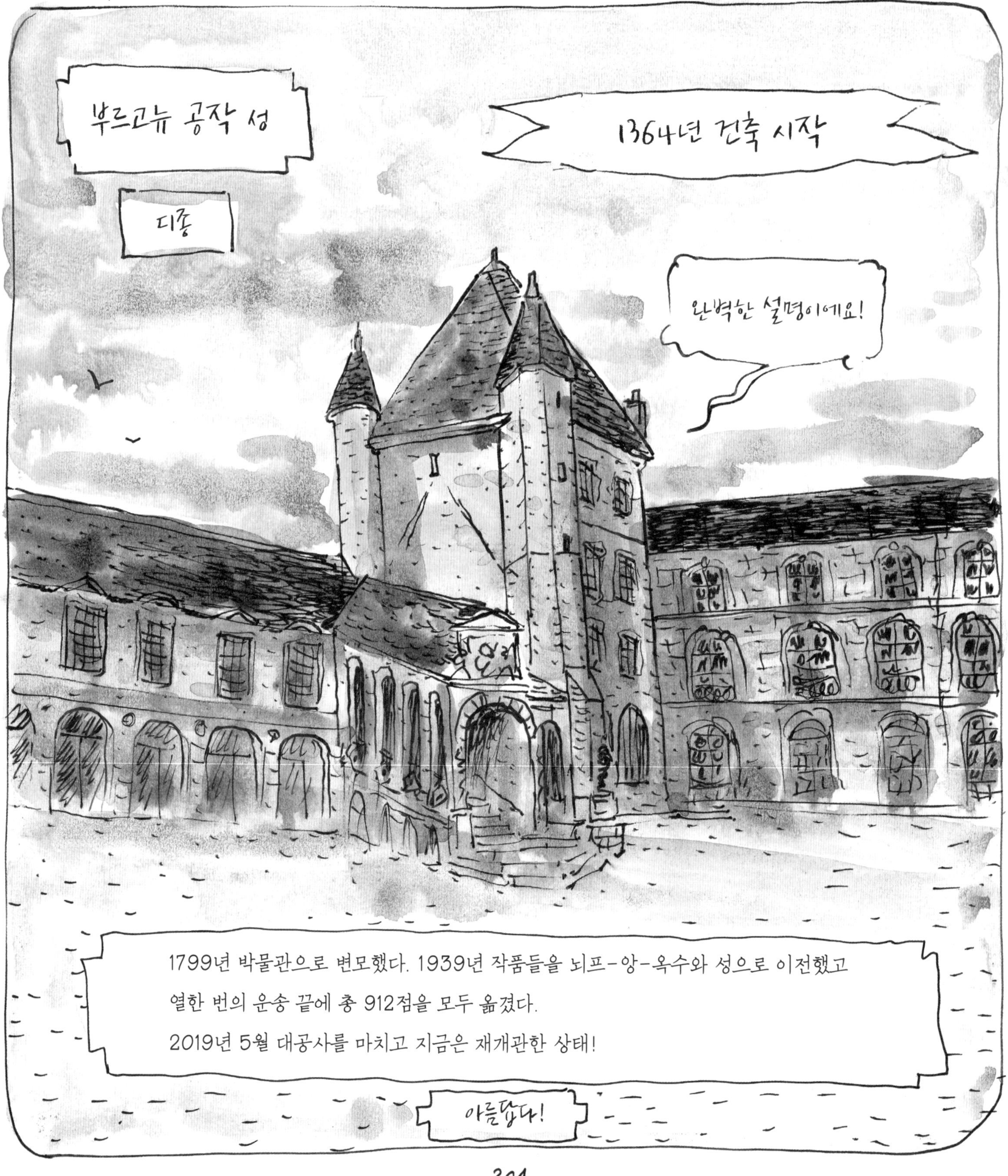

부르고뉴 공작 성

1364년 건축 시작

디종

완벽한 설명이에요!

1799년 박물관으로 변모했다. 1939년 작품들을 뇌프-앙-옥수와 성으로 이전했고 열한 번의 운송 끝에 총 912점을 모두 옮겼다.

2019년 5월 대공사를 마치고 지금은 재개관한 상태!

아름답다!

막내 단풍나무

희귀식물을 취급하는 베주오트 시장의
기 마이요* 씨에게서 구매했다.

단풍나무
'베니코소데'

선홍빛 줄기 →

정말 보기 드문 단풍나무다!

키우기도 여간
까다롭지 않다.

"오이듐 병충해에
취약하고

햇빛도 위험하다"

봄이면 쟁한
핫핑크!

라고 들었다.

여름이면
초록+분홍!

한 마디로,
예쁜 만큼
까탈스러워요!

가을이면 불붙은
주황색!

* 기 마이요 씨는 자타공인
단풍나무 전문가.

⚠ 단풍나무 컬렉션은 꺾꽂이를 금합니다!
다른 친구들이 궁금하면 14쪽 191쪽을 보세요.

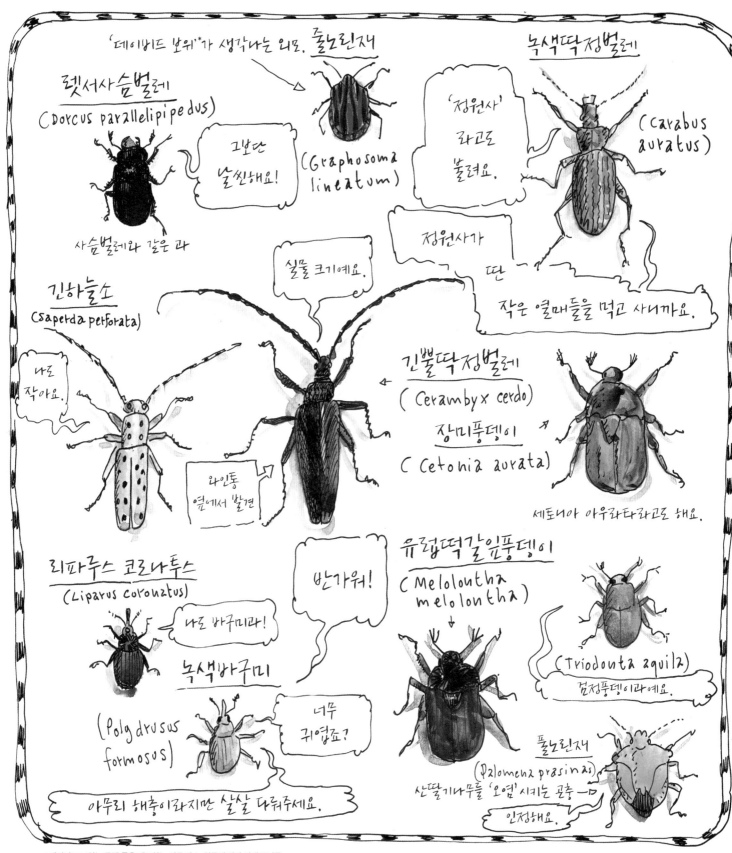

*데이비드 보위는 글램 록을 대표하는 영국 가수. 얼굴에 빨간 번개 무늬를
그려 넣은 메이크업이 유명하다. -옮긴이

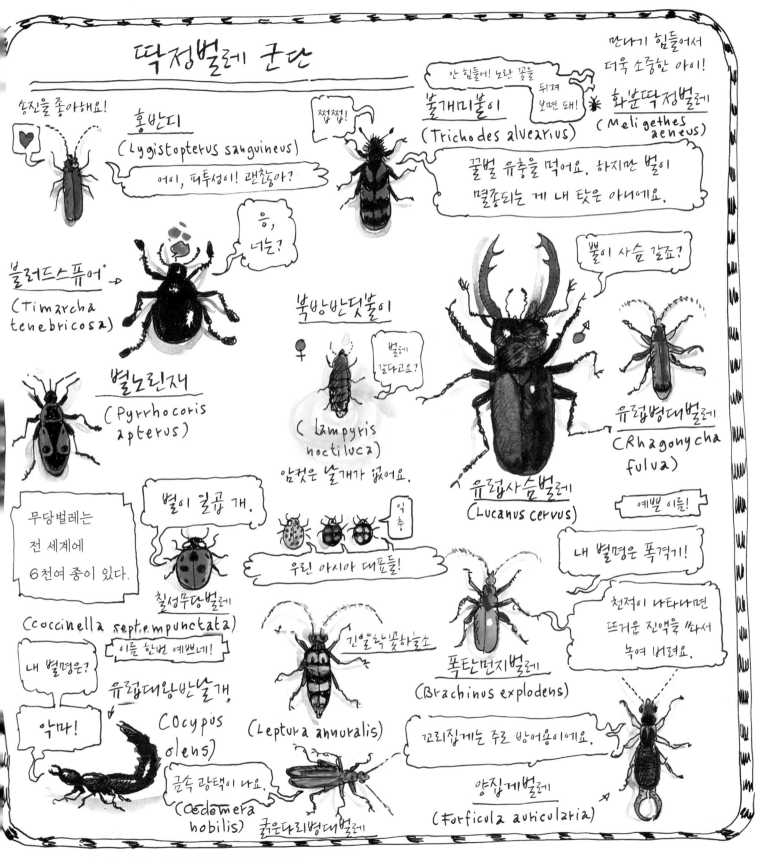

딱정벌레 군단

송진을 좋아해요!

홍반디
(Lygistopterus sanguineus)
어이, 파투성이! 괜찮아?

❤

잘잘!

응, 너는?

블러드스퓨어*→
(Timarcha tenebricosa)

별노린재
(Pyrrhocoris apterus)

북방반딧불이

벌레 같다고요?

(Lampyris noctiluca)
암컷은 날개가 없어요.

무당벌레는
전 세계에
6천여 종이 있다.

별이 일곱 개.

칠성무당벌레
(Coccinella septempunctata)
이름 한번 예쁘네!

익충

우린 아시아 대표들!

내 별명은?

악마!

유럽대왕반날개
(Ocypus olens)

긴알락꽃하늘소

(Leptura annuralis)

금속 광택이 나요.
(Oedemera nobilis) 굵은다리병대벌레

만나기 힘들어서
더욱 소중한 아이!

안 힘들어! 노란 꽃을
뒤져 보면 돼!

불개미붙이
(Trichodes alvearius)

❋ 화분딱정벌레
(Meligethes aeneus)

꿀벌 유충을 먹어요. 하지만 벌이
멸종되는 게 내 탓은 아니에요.

뿔이 사슴 같죠?

♂

유럽사슴벌레
(Lucanus cervus)

유럽병대벌레
(Rhagonycha fulva)

예쁜 이름!

내 별명은 폭격기!

천적이 나타나면
뜨거운 진액을 쏴서
녹여 버려요.

폭탄먼지벌레
(Brachinus explodens)

꼬리집게는 주로 방어용이에요.

양집게벌레
(Forficula auricularia)

*블러드스퓨어는 적의 공격을 받으면 빨간 액체를 토하며 죽은 척한다. -옮긴이

- 207 -

정원을 벗어나 글 쓰고 그림 그리는 내 서재의 창 너머 풍경···.

아내 카롤린과 아들 멜빌에게 바칩니다.

식물집사들이 꼽는 최고의 잡지 〈라 월로트 *La Hulott*〉에
진심어린 감사와 찬사를 보냅니다.
어릴 적부터 지금까지 늘 감동이에요.

프레드 베르나르

브뤼노 보아디, 클레멍 베네크,
플뢰르 페데제르, 윌리엄, 모두 고마워요.
특히 안-소피 드 몽사베르, 정말 고마웠어요.

index 🐚 동물, 식물, 지명, 인명, 월명

1월 ❄ 137

2월 ❄ 4, 148

3월 ❄ 4, 160

4월 🐛 5, 178

5월 🐛 20, 194~195

6월 ✴ 40

7월 ✳ 70

8월 ✳ 78~79

9월 ❄ 86

10월 ✤ 93

11월 ❄ 107

12월 ❄ 122

가면올빼미 *Tyro alba* ➜ 158

가시환각버섯 *Psilocybe semilanceata* ➜ 127

갈색정원달팽이 *Helix aspersa aspersa* ➜ 188, 198

갈색테달팽이 *Cepaea nemoralis* ➜ 31, 188, 198

개나리 *Forsythia* ➜ 7, 9

개망초 *Erigeron annuus* ➜ 42

개미붙이 *Trichodes apiarius* ➜ 30, 207

개쑥갓 *Senecio vulgaris* ➜ 192

개암나무 *Corylus* ➜ 103, 152~153, 170, 187

검은머리딱새 *Phoenicurus ochruros* ➜ 57

검은머리꾀꼬리 *Sylvia atricapilla* ➜ 43, 134, 183

검정풍뎅이 *Melolonthinae* ➜ 75

검정풍뎅이과 *Triodonta aquila* ➜ 206

골고사리 *Asplenium scolopendrium* ➜ 199

곰보버섯 *Morchella rotunda* ➜ 127

공작나비 *Aglais io* ➜ 65

공꽃 *Echinops ritro* ➜ 78

광대버섯 *Amanita muscaria* ➜ 127

광대불나방 *Arctia plantaginis / Parasemia plantaginis* ➜ 193

굴뚝새 *Troglodytes troglodytes* ➜ 100, 118, 129

굵은다리병대벌레 *Oedemera nobilis* ➜ 207

귀면각선인장 '몬스트로수스' *Cereus peruvianus monstrosus* ➜ 60

그물버섯 *Boletus edulis* ➜ 126

극동애메뚜기 *Chorthippus biguttulus* ➜ 84

근위주선인장 *Stetsonia coryne* ➜ 61

금낭화 *Dicentra spectabilis* ➜ 16

금어초 *Antirrhinum majus* ➜ 46

금황환 *Notocactus leninghausii / Parodia leninghausii* ➜ 61

긴뿔딱정벌레 *Cerambyx cerdo* ➜ 206

긴알락꽃하늘소 *Leptura annularis* ➜ 207

긴하늘소 *Saperda perforata* ➜ 206

긴호랑거미 *Argiope bruennichi* ➜ 91

깃주홍나비 *Anthocharis cardamines* ➜ 30

까마귀 *Corvus corone* ➜ 93, 144

까치 *Pica pica* ➜ 119

꼬리박각시 *Macroglossum stellatarum* ➜ 73

꽈리 *Physalis alkekengi* ➜ 74, 87, 102

꾀꼬리버섯 *Cantharellus cibarius* ➜ 126

꿀벌 *Anthophila* ➜ 150

나도산마늘 *Allium ursinum* ➜ 16, 23, 30, 168, 180

나무수국 '팬텀' *Hydrangéa paniculé 'Phantom'* ➜ 79

나비나물 *Vicia dumetorum* ➜ 30

나비바늘꽃 *Gaura lindheimeri* ➜ 75

넓적잠자리 *Libellula depressa* ➜ 80, 81

노란젖버섯 *Lactarius chrysorrheus* ➜ 127

노랑좁쌀풀 *Lysimachia vulgaris* ➜ 43

노래지빠귀 *Turdus philomelos* ➜ 139

노루 *Capreolus capreolus* ➜ 135

녹색딱정벌레 *Carabus auratus* ➜ 206

녹색바구미 *Polydrusus formosus* ➜ 206

뇌프-앙-옥수와 성 *Châteauneuf-en-Auxois* ➜ 123

누렁꼬리뒤영벌 *Bombus terrestris* ➜ 20

다마스크장미 *Rosa damascena* ➜ 29

단풍나무 '데쇼조' *Acer palmatum 'Deshojo'* ➜ 14

단풍나무 '베니코소데' *Acer palmatum 'Beni-kosode'* ➜ 205
단풍나무 '샤이나' *Acer Palmatum 'Shaina'* ➜ 191
단풍나무 '오렌지드림' *Acer Palmatum 'Orange dream'* ➜ 191
당닭 *Gallus gallus* ➜ 161
대나무 *Bambusoideae* ➜ 57, 187
대륙검은지빠귀 *Turdus merula* ➜ 31, 148, 183
대능주선인장 *Trichocereus pachanoi* ➜ 61
대사 *Opuntia cylindrica cristata* ➜ 60
덩굴해란초 *Cymbalaria muralis* ➜ 35
데탱 *Détain* ➜ 167
도가머리박새 *Lophophanes cristatus* ➜ 7
독일붓꽃 *Iris germanica* ➜ 15
동고비 *Sitta europaea* ➜ 27, 201
두슈 다리 *pont d'ouche* ➜ 28
둥굴레 *Polygonatum multiflorum* ➜ 15
뒷노랑왕불나방 *Pericallia matronula* ➜ 193
드리오프테리스 필릭스마스 *Dryopteris filix-mas* ➜ 199
드문호랑나비 *Iphiclides podalirius* ➜ 52
등나무 *Wisteria sinensis* ➜ 8, 103, 124, 137, 180
디스쿠스 로툰다투스 *Discus rotundatus* ➜ 174
딸기 *Fragaria vesca* ➜ 44
땅송이버섯 *Tricholoma myomyces* ➜ 126
떡갈잎수국 *Hydrangea quercifolia* ➜ 78, 102
띠물잠자리 *Calopteryx splendens* ➜ 81
라즈베리 *Rubus idaeus* ➜ 64
렛서사슴벌레 *Dorcus parallelipipedus* ➜ 206
로버트 루이스 스티븐스 *Robert Louis Stevenson* ➜ 92
로버트 사우디 *Robert Southey* ➜ 132
로즈힙 *Rosa canina* ➜ 133
루이즈 드 빌모랭 *Louise de Vilmorin* ➜ 194
르네 샤르 *René Char* ➜ 94
리파루스 코로나투스 *Liparus coronatus* ➜ 206
마귀그물버섯 *Boletus satanas* ➜ 127
마르타곤나리 *Lilium martagon* ➜ 16, 41
마크로가스트라 벤트리코사 *Macrogastra ventricosa* ➜ 174
말불버섯 *Lycoperdon perlatum* ➜ 127

매 *Falco peregrinus* ➜ 108~109
매미 *Cicadidae* ➜ 68
매발톱 *Aquilegia vulgaris* ➜ 19, 188
먹물버섯 *Coprinus comatus* ➜ 126
멋쟁이새 *Pyrrhula pyrrhula* ➜ 112
멧노랑나비 *Gonepteryx rhamni* ➜ 6, 160
목련 *Magnolia* ➜ 64
무스카리 *Muscari* ➜ 6, 9
무화과나무 *Ficus carica* ➜ 95, 103, 122
문지기나비 *Pyronia tithonus* ➜ 71
물잠자리 *Calopteryx virgo* ➜ 80
미국담쟁이덩굴 *Parthenocissus quinquefolia*
　　　➜ 93, 94~95, 103, 118
민들레 *Taraxacum officinale* ➜ 10
바르비레이 *Barbirey* ➜ 28
바르비레이-쉬르-우슈 성 *Château de Barbirey sur ouche*
　　　➜ 38~39
박새 *Parus major* ➜ 7, 151
발칸작약 *Paeonia mascula*
　　　➜ 18, 25, 41, 85, 86, 90, 190
밤나방 *Noctua janthina* ➜ 195
밤버섯 *Calocybe gambosa* ➜ 127
배나무 *Pyrus* ➜ 118, 201
백도선선인장 *Opuntia microdasys* ➜ 61
백홍산 *Sclerocactus* ➜ 61
벗나무 *Prunus serrulata* ➜ 21, 116
별노린재 *Pyrrhocoris apterus* ➜ 9, 41, 63, 79, 170, 207
별매발톱꽃 *Aquilegia vulgaris 'Nora Barlow'* ➜ 19
별박이왕잠자리 *Aeshna cyanea* ➜ 80
보검선인장 *Opuntia ficus-indica* ➜ 60
본 *Beaune* ➜ 83
봄은방울수선화 *Leucojum vernum* ➜ 4, 155
부르고뉴 공작 성 *Palais des ducs de Bourgogne, Dijon* ➜ 204
부이영 *Bouilland* ➜ 28
부이영 절벽 *Falaise de Bouilland* ➜ 108
북방반딧불이 *Lampyris noctiluca* ➜ 207

북방아시아실잠자리 *Ischnura elegans* ➡ 81

불나방 *Arctia caja* ➡ 192

붉은가슴방울새 *Carduelis cannabina* ➡ 141

붉은까불나비 *Vanessa atalanta* ➡ 49

붉은꼬리호박벌 *Bombus lapidarius* ➡ 22

붉은등때까치 *Lanius collurio* ➡ 179

붉은민달팽이 *Arion rufus* ➡ 113, 188, 198

붉은장구채 *Silene dioica* ➡ 30

붓꽃 *Iridaceae* ➡ 25, 36, 182, 188, 195

블러드스퓨어 *Timarcha tenebricosa* ➡ 207

비늘버섯 *Pholiota* ➡ 106

비단그물버섯 *Suillus luteus* ➡ 126

빨간실잠자리 *Ceriagrion tenellum* ➡ 80

뿔나팔버섯 *Craterellus cornucopioides* ➡ 126

사비니-레-본 *Savigny-lès-Beaune* ➡ 82

사비니-레-본 성 *Château de Savigny-lès-Beaune* ➡ 146~147

사비니-레-본 성당 *lgise de Savigny-lès-Beaune* ➡ 197

사슴 *Cervus elaphus* ➡ 166~167

산사나무 *Crataegus* ➡ 133

산파두꺼비 *Alytes obstetricans* ➡ 10, 40

산호랑나비 *Papilio machaon* ➡ 71

상모솔새 *Regulus ignicapilla* ➡ 125

상모솔새 *Regulus regulus* ➡ 125

상제나비 *Aporia crataegi* ➡ 71

새매 *Accipiter nisus* ➡ 85

생쥐귀박쥐 *Myotis myotis* ➡ 153, 196~197

서양낭비둘기 *Columba palumbus* ➡ 96~97, 187

서양매발톱꽃 *Aquilegia vulgaris mckana* ➡ 20

서양메꽃 *Convolvulus arvensis* ➡ 64, 84

설강바람꽃 *Anemone sylvestris* ➡ 5, 16

설강화 *Galanthus nivalis* ➡ 4, 155

세각주 *Leptocereus* ➡ 61

세르쥬 갱스부르 *Serge Gainsbourg* ➡ 163

세이시 *Salvia officinalis* ➡ 159

소눈가리개선인장 *Opuntia rufida cristata* ➡ 60

소포클레스 *Sophocle* ➡ 76

송로버섯 *Tuber uncinatum* ➡ 126

송악 *Hedera* ➡ 103, 118

송충이 *Macaria sexmanulata* ➡ 63

쇠박새 *Poecile palustris* ➡ 7

수국 *Hydrangea aspera* `Macrophylla` ➡ 78

숙근수레국화 *Centaurea montana* ➡ 22

숙근스위트피 *Lathyrus latifolius* ➡ 52

스위트피 *Lathyrus odoratus* ➡ 52, 137

스칼렛타이거나방 *Callimorpha dominula* ➡ 193

시베리아붓꽃 *Iris sibirica* ➡ 34

실라 비폴리아 *Scilla bifolia* ➡ 5

실잠자리 *Erythromma lindenii* ➡ 81

실잠자리 *Erythromma najas* ➡ 80

실잠자리 *Euphaeidae* ➡ 46

십이지권 *Haworthia fasciata* ➡ 61

쐐기풀나비 *Aglais urticae* ➡ 71

아룸 이탈리쿰 *Arum italicum* ➡ 9

아칸서스 *Acanthus* ➡ 53, 102~103, 160

아폴로모시나비 *Parnassius apollo* ➡ 53

안데스노인선인장 *Oreocereus celsianus* ➡ 61

알광대버섯 *Amanita phalloides* ➡ 127

알렉산더 스미스 *Alexander Smith* ➡ 88

알록스-코르통 *Alox-Corton* ➡ 83, 97

암개고사리 *Athyrium filix-femina* ➡ 199

앙리 뱅스노 *Henri Vincenot* ➡ 50~51

앙투안 드 생텍쥐페리 *Antoine de Saint-Exupéry* ➡ 194

애기똥풀 *Chelidonium majus* ➡ 22

앵초 *Primula vulgaris* ➡ 6, 9, 159, 171

야생 제라늄 *Geranium palustre* ➡ 23

야호 *Opuntia pycnantha* ➡ 60

양집게벌레 *Forficula auricularia* ➡ 207

어리호박벌 *Xylocopa violacea* ➡ 22, 173

어치 *Garrulus glandarius* ➡ 128

에덴로즈 *Pierre de Ronsard* ➡ 31, 202~203

에드먼드 스펜서 *Edmund Spenser* ➡ 40

에릭 라인하르트 *Eric Reinhardt* ➨ 95

에키움 불가레 *Echium vulgare* ➨ 27

연푸른부전나비 *Polyommatus icarus* ➨ 71

염주비둘기 *Streptopelia decaocto* ➨ 178

오니소갈룸 움벨라툼 *Ornithogalum umbellatum* ➨ 26, 168

오목눈이 *Aegithalos caudatus* ➨ 7

오뮈에 동굴 *cave ou grotte Omuet Bouilland* ➨ 169

오스피스 드 본 *hospices de Beaune* ➨ 120~121

올빼미 *Strix aluco* ➨ 136

왕귀뚜라미 *Gryllus campestris* ➨ 48

울타리쉐기풀 *Stachys sylvatica* ➨ 49

원추리 *Hemerocallis* ➨ 42

윌리엄 셰익스피어 *William Shakespeare* ➨ 12~13, 177

유다박태기나무 *Cercis siliquastrum* ➨ 137

유럽나무발발이 *Certhia brachydactyla* ➨ 138

유럽남방장수풍뎅이 *Oryctes nasicornis* ➨ 62, 162

유럽대왕반날개 *Ocypus olens* ➨ 207

유럽땅강아지 *Gryllotalpa gryllotalpa* ➨ 74

유럽떡갈잎풍뎅이 *Melolontha melolontha* ➨ 206

유럽물밭쥐 *Arvicola amphibius* ➨ 168, 172

유럽병대벌레 *Rhagonycha fulva* ➨ 207

유럽붉은가슴울새 *Erithacus rubecula* ➨ 94, 151

유럽사슴벌레 *Lucanus cervus* ➨ 56, 162, 207

유럽산뒤영벌 *Bombus pratorum* ➨ 22

유럽삵 *Felis silvestris silvestris* ➨ 179

유럽유혈목이 *Natrix natrix* ➨ 69

유럽은방울꽃 *Convallaria majalis* ➨ 15, 186, 208

유럽집박쥐 *Pipistrellus pipistrellus* ➨ 196

유럽청딱따구리 *Picus viridis* ➨ 27

유럽칼새 *Apus apus* ➨ 67

유럽호랑가시나무 *Ilex aquifolium* ➨ 133

유포르비아 라티리스 *Euphorbia lathyris* ➨ 24

유포르비아 아에루기노사 *Euphorbia aeruginosa* ➨ 60

유포르비아 에노플라 *Euphorbia enopla* ➨ 60

유포르비아 카라키아스 *Euphorbia characias* ➨ 159, 186

유포르비아 펜타고나 *Euphorbia pentagona* ➨ 60

은행나무 *Ginko biloba* ➨ 100, 102, 107, 117, 118, 183, 187

인동덩굴 *Lonicera caprifolium* ➨ 34

자주졸각버섯 *Laccaria amethystina* ➨ 127

작약 *Paeonia* ➨ 9, 26, 27, 102, 181

작은멋쟁이나비 *Vanessa cardui* ➨ 49

장미무당버섯 *Russula lepida* ➨ 127

장미풍뎅이 *Cetonia aurata* ➨ 162, 206

저지타이거나방 *Euplagia quadripunetaria* ➨ 71, 193

점박이딱새 *Muscicapa striata* ➨ 137

접시꽃 *Alcea rosea* ➨ 70

정원민달팽이 *Arion hortensis* ➨ 113

정원솔새 *Sylvia borin* ➨ 134

제라늄 로베르티아눔 *Geranium robertianum* ➨ 23

제르게이유 *Gergueil* ➨ 167

제비 *Hirundo rustica* ➨ 67

제비꽃 *Viola* ➨ 6, 171

제임스 그레이엄 *James Graham* ➨ 132

조일환선인장 *Mammillaria rhodantha* ➨ 60

존퀼라수선화 *Narcissus jonquilla* ➨ 5, 170, 177

좀미나리아재비 *Ranunculus arvensis / acris* ➨ 24

좀잠자리 *Sympetrum sanguineum* ➨ 81

줄나비 *Limenitis reducta* ➨ 71

줄노린재 *Graphosoma lineatum* ➨ 18, 206

중베짱이 *Tettigonia viridissima* ➨ 84

지렁이 *Lumbricina* ➨ 75, 180

진 잉겔로우 *Jean Ingelou* ➨ 40

진뒤영벌 *Bombus pascuorum* ➨ 22

진홍나방 *Tyria jacobaeae* ➨ 192

차꼬리고사리 *Asplenium trichomanes* ➨ 35

청량전 *Espostoa senilis* ➨ 61

청설모 *Sciurus vulgaris* ➨ 152~153

청실잠자리 *Lestes sponsa* ➨ 80

취설주 *Cleistocactus straussii* ➨ 60

칠성무당벌레 *Coccinella septempunctata* ➨ 207

캐롤라이나회색다람쥐 *Sciurus carolinensis* ➨ 152~153

코르통 언덕 *colline de Corton* ➨ 131

코마랭 성 *Château de Commarin* ➜ 50~51

코클로스토마 셉템스피랄레 *Cochlostoma septemspirale*
➜ 174

코클로스토마 코니쿰 *Cochlostoma conicum* ➜ 174

콘드룰라 트리덴스 *Chondrula tridens* ➜ 174

콜레트 *Colette* ➜ 11

콩새 *Coccothraustes coccothraustes* ➜ 112

크로커스 *Crocus* ➜ 6, 171

크로케아노랑나비 *Colias crocea* ➜ 71

크림반점호랑나방 *Arctia villica* ➜ 192

큰곰 *Ursus arctos* ➜ 180

큰메꽃 *Calystegia sepium* ➜ 84

큰민달팽이 *Limax maximus* ➜ 113

큰배추흰나비 *Pieris brassicae* ➜ 71

클라우실라 루고사 *Clausilia rugosa parvula* ➜ 174

클로 드 부조 성 *Château du Clos de Vougeot* ➜ 157

털모과 *Cydonia oblonga* ➜ 101, 142, 154

토끼 *Oryctolagus cuniculus* ➜ 144~145

토끼풀 *Trifolium* ➜ 76

튤립 *Tulipa* ➜ 9, 188, 189

팔마테뉴트 *lissotriton helveticus* ➜ 164

팡티에 호수 *lac de Pantier* ➜ 110~111

퍼시 비시 셸리 *Percy Byshe Shelley* ➜ 106

페르낭-베르즐레스 *Pernand-Vergelesses* ➜ 82~83

포마티아스 에레간스 *Pomatias elegans* ➜ 174

폭탄먼지벌레 *Brachinus explodens* ➜ 207

푸른머리되새 *Fringilla coelebs* ➜ 25

푸른박새 *Cyanistes caeruleus* ➜ 7, 129, 151

푸른실잠자리 *Coenagrion puella* ➜ 81

풀노린재 *Palomena prasina* ➜ 206

풀표범나비 *Argynnis aglaja* ➜ 70

프리물라 베리스 *Primula veris* ➜ 185

플라타너스 ➜ 103, 118

플리니우스 *Pline l'Ancien* ➜ 27, 76

피에르 드 롱사르 *Pierre de Ronsard* ➜ 202~203

한련화 *Tropaeolum majus* ➜ 35

헤르조지아나 선인장 *Neoraimondia herzogiana* ➜ 61

헬리키고나 라피키다 *Helicigona lapicida* ➜ 174

호랑버들 *Salix caprea* ➜ 7, 141

홍반디 *Lygistopterus sanguineus* ➜ 207

홍방울새 *Carduelis carduelis* ➜ 112

화분딱정벌레 *Meligethes aeneus* ➜ 207

황금사선인장 *Mammillaria elongata* ➜ 61

황대문자선인장 *Trichocereus spachianus* ➜ 60

회양목명나방 *Cydalima perspectalis* ➜ 63, 196

후투티 *Upupa epops* ➜ 73

흰가슴산달 *Martes foina* ➜ 165

흰백합 *Lilium candidum* ➜ 41, 46, 182

흰점찌르레기 *Sturnus vulgaris* ➜ 98

흰턱제비 *Delichon urbicum* ➜ 66

프레드 베르나르 Fred Bernard 지음
프랑스 부르고뉴 지방에서 태어났으며, 리옹의 에밀 콜 디자인학교에서 공부했다.
디자인 건축 회사에서 프랑수아 로카를 만나 우정을 쌓으며 많은 그림책 작업을 함께했다.
두 작가는 1997년 소르시에르 상, 1996년과 2001년 공쿠르 죄뇌스 상, 2001년 바오바브 상,
2003년 크레티앵 드 트루아 상을 수상했다.
『노란 기차』, 『공포의 정원』, 『작은 여신 우마』 등 30여 권이 넘는 그림책과 그래픽 노블 시리즈를 쓰고 그렸다.

배유선 옮김
연세대학교 불어불문학과와 이화여자대학교 통역번역대학원을 졸업했다.
현재 KBS 월드라디오 작가로 활동하고 있다. 옮긴 책으로는
『우리가 지금껏 몰랐던 신화의 비밀, 명화의 비밀』, 『내 책상 위의 반려식물, 테라리움』,
『꼬마 농부의 사계절 텃밭 책』 등이 있다.

작은 뜰을 거니는

정원 여행자를 위한 안내서

초판 1쇄 인쇄 2022년 4월 30일
초판 1쇄 발행 2022년 5월 10일

지은이 프레드 베르나르
옮긴이 배유선
발행인 금교돈
편집인 문경선
디자인 장선희
마케팅 이종응, 김민정
발행 콤마
주소 서울시 중구 세종대로 21길 30
등록일 2013년 11월 7일 제301-2013-205호
구입 문의 02-724-7851
인스타그램 @comma_and_style

ISBN 979-11-88253-27-2 03860

잘못 만들어진 책은 구입하신 곳에서 바꾸어 드립니다.